탑의 시간

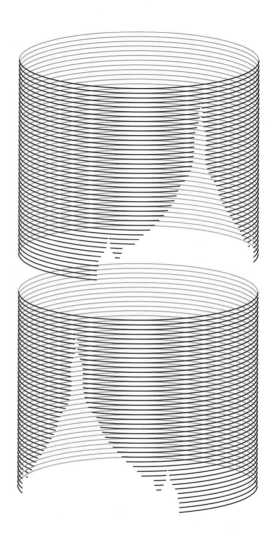

탑의 시간

해이수 장편소설

자음과모음

차례

탑의 둥근 내부

명은 로카난다 사원 앞에서 자전거의 페달을 멈췄다. 8월 하순 오후, 바간의 태양은 땅 위의 모든 것을 녹일 듯 이글거렸다. 명은 자전거 지지대를 발로 고정하고 열쇠로 바퀴를 잠갔다. 굵은 땀방울이 등골을 타고 흘러내렸다. 공터에 주차된 택시 안에서 운전사가 한쪽 볼이 불룩하도록 입담배를 욱여넣고 있었다.

명이 자전거 핸들의 방향을 로카난다로 잡은 이유는 독경 소리 때문이었다. 뉴바간의 게스트 하우스에 도착해서 짐을 풀자마자 명은 빈방에 우두커니 서 있었다. 한참 후에 그는 자신이 소리 죽여 운다는 사실을 비로소 알았는데, 서른다섯 해를 살면서 이토록 초라하게 울어보기는 처음이었다.

미얀마 양곤 공항에서부터 차오르던 명의 눈물샘을 왈칵 터뜨린 것은 방문 옆에 세워놓은 발가락 슬리퍼 한 쌍이었다. 남녀 커플을 위해 준비된 듯한 그것은, 한 켤레는 크고 다른 한 켤레는 작았다. 작고 앙증맞은 슬리퍼는 그것을 신어야 할 그녀의 부재를 새삼 실감케 만들었다.

눈물과 콧물을 손등으로 훔치는 가운데 불경 소리가 들려왔다. 어느 방향인지 알 수 없으나 스피커에서 흘러나오는 압도적인 음향은 이 도시가 세계 삼대 불교 유적지임을 말해주었다. 전혀 알아들을 수 없는 경전 낭독만이 그 순간 그의 울음을 다독이는 유일한 위로였다.

계속 이렇게 흐느낄 수만은 없다고 생각한 명은 티슈를 뽑아서 코를 풀었다. 무작정 방문을 나선 그는 게스트 하우스의 프런트로 내려가 불경 읽는 곳을 물었다. 스태프는 지역 안내도의 한 곳에 볼펜으로 동그라미를 치더니 강변까지 큰길을 따라가라고 했다. 명은 약도 한 장을 들고 숙소를 나와서 뙤약볕 아래를 걸었다.

큰길로 접어들자 열 살 남짓한 소년이 뛰어와 달라붙었다. 머리카락이 짧고 피부가 까맣고 눈동자가 머루알만큼 컸다.

"어디 가세요?"

명은 힘없이 대꾸하며 손을 들어 가리켰다.

"독경 소리를 따라가고 있어. 저 사원에."

어느 나라에서 왔냐는 소년의 물음에 명은 한국에서 왔다고 했다. 녀석은 곧 하얀 이를 드러내고 웃으며 서툰 한국어 억양으로 말했다.

"아, 아뇽하쎄요? 전자 바이크 타세요. 싸게 빌려드릴게요. 증말 좋아요."

명은 몇 번이고 손사래를 쳤으나 호객 행위를 하는 녀석은 끈질기게 따라붙으며 이곳은 처음 왔는지, 지금 어디로 가는지, 숙소는 어디인지, 며칠 동안 머무는지, 여기가 마음에 드는지를 영어로 꼬치꼬치 캐물었다. 한국 드라마와 한국인을 좋아한다며 꼭 서울에 가고 싶다고도 했다. 명은 녀석이 성가신 한편 이야기를 하는 동안 활기가 도는 것을 느꼈다. 같이 온 사람은 없느냐는 물음에 대답을 하지 않자 녀석은 악수를 하자는 듯 손을 내밀었다.

"특별 가격으로 드릴게요. 우리는 친구니까. 약속해요."

명은 걸음을 멈추고 소년을 향해 몸을 돌렸다. 그리고 자신도 모르게 그 손을 힘껏 움켜쥐었다.

'약속이 그렇게 쉽니? 너도 나를 속여서는 안 돼.'

소년은 아픈 듯 미간이 일그러졌다. 명은 상대의 눈을 뚫어지게 바라봤다. 아무런 죄책감 없이 무엇이든 속일 수 있는 눈이었다.

결국 명은 소년을 따라서 자전거 대여소에 갔다. 소년이 열심히 권하는 신형 전자 바이크를 모두 물리치고 그는 맨 구석에 놓인 자전거를 빌렸다. 안장에 먼지가 쌓이고 기어가 없는 구형으로 하루 렌트 비용은 1500짯이었다. 우리 돈으로 1500원 정도였다.

로카난다 사원에서 명을 처음 맞이한 건 에야와디강이었다. 폭이 상당히 넓은 진흙빛 강에서 여자들은 빨래를 하고 아이들은 수영을 하고 남자들은 낚시를 했다. 히말라야산맥 남단에서 발원하여 미얀마를 북에서 남으로 관통하고 안다만해로 흘러든다는 안내문이 보였다.

사원 초입에서 명은 신발과 양말을 벗었다. 맨발로 계단을 오르니 전망이 탁 트인 강변이 나왔다. 아름드리 님트리가 그늘을 드리운 벤치에 한국인으로 보이는 젊은 남녀가 앉아 있었다. 서로 번갈아가며 사진을 찍는 그들의 즐거운 목소리가 고스란히 들렸다. 둘은 찍은 사진을 확인하고 얼굴을 마주 보며 웃더니 입을 맞추었다. 명은 이마의 땀을 훔치며 얼른 고개를 돌렸다.

경내에 들어서자 햇살에 반사된 황금빛 탑이 눈부시게 빛났다. 푸른 하늘을 가르며 검은 새 몇 마리가 금탑으로 날아들었다. 탑의 상륜부 산개(傘蓋)에 매달린 수십 개의 작은 종이 강바람에 흔들렸다. '금빛'을 소리로 표현하면 딱 이런 음향일 것 같았다.

한낮의 열기로 대리석 바닥은 발에 화상을 입을 정도로 뜨거웠다. 명은 까치발로 덜 달궈진 곳을 디디며 독경 소리가 나는 곳으로 갔다. 보라색 가사를 걸친 젊은 승려가 경전을 한 장씩 넘기며 읽는 모습을 명은 무연히 바라보았다. 녹음테이프를 튼 게 아니었다.

승려는 오직 물 한 병을 옆에 두고 꼿꼿이 앉아서 자세를 흩뜨리지 않았다. 그는 특유의 운율에 맞추어 숭고한 노래를 부르듯 경전을 읽었다. 그 소리가 도시 전체를 쩌렁쩌렁 울려서 이곳 사람뿐만이 아니라 산과 강, 돌과 풀, 흙과 쇠붙이까지도 부처의 말씀 안에 있는 셈이었다. 몇 시간째 읽은 것인지 앞으로 몇 시간을 더 읽을 것인지 알 수 없었다.

명은 천천히 그곳을 벗어나 탑을 돌다가 걸음을 멈췄다. 고개를 조아려 절을 올리는 중년의 여성이 보였다. 몸을 낮추고 두 손을 받들어 올리는 동작에 정성이 가득했다. 사십대 후반으로 짐작됐는데, 리넨 소재의 원피스로 맵시를 낸 차림새가 인상적이었다.

*

연은 이토록 아름다운 프랜지파니나무를 본 적이 없었다. 키가 크고 몸통에서 사방으로 펼쳐진 가지의 품이 넓었다. 폭

죽이 터지듯 벌어진 잎사귀마다 맺힌 흰 꽃송이들은 환했다. 그 나무 아래서 미얀마 여인들은 정결히 앉아 기도를 드렸다. 옆에는 수령이 수백 년은 족히 넘었을 아카시아의 황갈색 가지가 서로 뒤얽혀 있었다.

연은 탑을 향해 무릎을 꿇고 머리를 조아려 삼배를 올렸다. 그리고 두 손을 모은 채 고개를 들어 탑을 우러러보았다. 금을 입힌 탑은 햇빛에 반사되어 눈이 부셨다. 강바람이 불자 탑 꼭 대기에 매달린 수십 개의 종들이 일제히 흔들렸다. 그 소리에 홀린 듯 검은 새가 날아들었다. 종이 울릴 때마다 묘하게도 더위가 차츰 밀려났다.

허물어지듯 바닥에 엎드린 연은 그를 위해 기도했다. 그와 처음 만난 후 연은 수없이 그를 위해 기도했으나 이번 기도는 특별했다. 이십 년 전 그가 그녀를 기다리던 장소에서 어느덧 그녀는 그를 위해 기도하고 있었다. 다시는 그가 오지 못하는 상황이 되어서야 그녀는 이곳에 오게 되었다.

사흘 전 연은 그의 사망 소식을 신문으로 접했다. 대학 도서관 자료실이 비교적 한산한 팔월 중순이었다. 연은 반납되지 않은 도서를 점검하고 분류되지 않은 신간 목록을 확인했다. 그리고 이학기 도서관 일정을 살핀 후에 신문을 펼쳤다. 그녀는 젊은 시절부터 두세 종류의 신문을 읽고 스크랩하는 습관을 유지했다. 도서관과 집 사이를 그네처럼 왕복하는 그녀에게 그 행위는 나름대로 세상을 꼼꼼히 읽는 작업이었다. 온라인뉴스를 링크와 캡처 기능으로 보관하는 동료들은 연을 별종으로 여겼다.

연은 주요 지면뿐만이 아니라 한 문장짜리 정정보도나 승진·부고란도 눈여겨보았다. 한번 기사로 다룬 인물을 추적하여 다시 다루는 신문의 맥락을 알면 주요 인물의 동정이 파악됐다. 매일 누군가는 다른 자리로 옮겨가고 누군가는 다른 세상으로 떠나기에 기사의 성격, 사회적 분위기에 따라 글자 너머의 사연까지 짚어보는 재미가 있었다.

세상을 등지기에 아직 이른 그는 육십이 세였다. 젊은 시절부터 동남아 지역의 선구적 NGO 활동으로 신문의 사회면이나 인터뷰 지면을 간혹 크게 장식했다. 가난과 질병, 문맹과 재해가 있는 곳이 그의 활동 무대였다. 그가 죽자 부고란에는 단 두 줄이 할애되었다. 순간 연은 누군가 자신의 심장을 억세게 틀어쥔 듯 숨이 막혔고 소리가 새어 나오지 않았다.

떨리는 검지 끝으로 글자를 짚으며 연은 그의 아내와 아들딸의 이름을 조그맣게 발음했다. 공교롭게도 그의 발인은 그녀의 생일이었다. 연은 어찌할 줄을 모르고 손을 들어 이마를 짚고 눈을 감았다. 동료들이 지나다니는 사무실에서 자신도 모르게 뜨거운 눈물이 뺨으로 흘러내렸다.

그의 죽음은 연이 깊이 묻어둔 기억 하나를 불러냈다. 연은 퇴근 후 집으로 돌아와 수납장 맨 아래 있는 상자에서 편지 한 통을 찾아냈다. 이십 년 전 그가 바간에서 보낸 것이었다. 그녀는 답신을 보내지 않았으므로 결과적으로 그 편지는 그와의 마지막 교신이었다. 수백 번을 읽었으나 연은 그의 글씨체를 오랜만에 보자 속이 울렁거렸다. 손에 든 편지를 끝까지 읽지 못한 채 그녀는 그만 자리에 털썩 주저앉고 말았다.

연이 조문 장소로 택한 곳은 병원의 장례식장이 아니라 미얀마의 바간이었다. 그의 죽음을 애도하는 동시에 자신의 쉰번째 생일을 기념하는 여행지로 다른 곳은 떠오르지 않았다. 그가 바간에 남겨둔 선물을 찾아와야 했다.

자리에 엎드린 연은 눈을 뜨고 몸을 일으켰다. 탑은 거대한 황금종 모양이었다. 승려가 읽는 독경 소리는 여전히 낭랑하고 머리 위로는 각양각색의 깃발이 펄럭거렸다. 강바람에 흩날리는 긴 머리카락을 가다듬으며 그녀는 손수건으로 눈가의 물기를 찍어냈다.

연은 석가모니의 앞니 불치사리를 보관하기 위해 이 탑을 지었다는 사원 입구의 안내문을 기억했다. 그러니까 탑은 성물을 봉안한 일종의 타임캡슐이었다. 그녀는 탑을 돌며 천천히 발을 떼었다. 한낮의 열기로 달궈진 바닥은 뜨거워서 연은 덜 달궈진 곳을 골라 디뎠다. 이 거대한 황금 캡슐의 어디쯤에 석가의 앞니가 놓여 있을까, 그것은 보석처럼 빛이 날까……

이제는 그가 남긴 타임캡슐의 봉인을 풀어야 할 시간이었다.

사원을 내려온 연은 신발을 신고 공터에 주차된 택시를 향해 걸어갔다. 나무 그늘에 쪼그려 앉아서 입담배인 꽁야를 씹던 운전사 쪼우쪼우가 빨간 침을 뱉으며 일어났다. 쪼우쪼우는 바간 공항에서 게스트 하우스까지 태워다 준 게 인연이 되었다. 연은 순박한 그의 태도가 좋아서 바간에서의 이동을 부탁했다.

"여길 먼저 들르기를 잘했네요. 아름다워요."

연이 뒷좌석에 앉으며 말하자 쪼우쪼우가 운전석에서 시동을 걸었다.

"그럼요. 여기를 안 보면 바간에 온 게 아니에요. 마침 게스트 하우스와도 가까우니까 들러서 가는 게 좋지요."

"저 에야와디강에서 낙조를 볼 수 있나요?"

"말씀만 하시면 모셔다 드리죠. 강에서 보트를 타고 보는 해 지는 풍경은 장관이죠. 그럼 소민지 수도원으로 갈까요?"

"네, 이젠 소민지 수도원으로."

차창 밖으로 탑들이 지나갔다. 그것은 들판에 솟은 뿔 같기도 하고 체스판의 말처럼 보이기도 했다. 에야와디 유역에만 천 기(基)가 넘는 탑과 유적지가 밀집되어 있었다. 이차선의 도로는 탑들의 숲을 가르며 뉴바간에서 올드바간으로 이어졌다. 간혹 차창 밖으로 황갈색의 먼지가 뿌옇게 일어났다.

*

택시가 소민지 수도원에 도착하자 연은 쪼우쪼우에게 웃돈을 얹어 주었다. 오늘 일정은 여기까지라는 뜻이었다. 쪼우쪼우는 손을 내밀어 돈을 받으면서도 잘 납득할 수 없다는 듯 웃었다.

"바간에는 탑이 2000개가 넘는데, 오늘 겨우 두 개만 볼 거예요?"

"네, 오늘은 두 곳만 봐도 충분해요."

"여기서 뭘 하실 건데요?"

"찾아야 할 게 있어요. 특별한 날이거든요."

연은 대답을 하면서도 스스로 막연한 기분이 들었다. 다행히 쪼우쪼우는 무엇을 찾는지, 어떤 특별한 날인지 묻지 않았다. 그저 알았다는 듯 손을 한 번 들었다. 그녀는 차에서 내려 손을 흔들었다. 이곳에서 일몰을 보고 게스트 하우스까지 걸어가겠다고 덧붙였다. 걷기에 그리 가까운 거리는 아니었지만 쪼우쪼우는 고개를 끄덕였다.

연은 수도원으로 향하는 모래언덕을 올라갔다. 팔백 년 전 바간 왕조 시기의 붉은 벽돌로 지어진 건물은 과거 승려들이 정진하던 도량이라고 짐작하기 어려울 정도로 잔해만 남아 있었다. 일몰까지 시간을 보내기에는 규모 또한 작았다. 건물의 허리 위로는 전부 소실되어 그 빈자리를 허공이 대신 채우고 있었다. 한눈에 봐도 버려진 쓸쓸한 장소였다.

신발을 벗고 계단을 오르자 젊은 남녀의 웃음소리가 들렸다. 관광객으로 보이는 한국인 커플은 햇볕에 달궈진 바닥을 맨발로 폴짝폴짝 뛰어다녔다. 그들은 이층 본당 건물의 왼편 계단을 밟고 올라가서 오른편으로 빠져나갔다. 사랑에 빠진 사람들이 대개 그렇듯 주위엔 둔감해 보였다. 포즈를 잡고 사진을 찍는 모습에서 뭔가 신나고 흥겨운 기운이 느껴졌다. 탑과 탑 사이를 즐겁게 날아다니는 한 쌍의 새 같았다.

연은 그가 편지에 쓴 이 수도원의 전설을 또렷이 기억했다. 사랑에 빠진 수도승이 아무리 뼈를 깎는 용맹 정진을 해도 한 여인을 잊지 못하자 끝내 분신공양을 하고 말았다는…… 스스로를 태운 그 자리에 신기하게도 작은 핏빛의 돌이 남아서 이곳에 봉안했다는 이야기였다. 낡은 안내판을 보니, '소민(Soe Min)'은 바간 왕족의 왕비나 공주에게 부치는 칭호인데 이 여인이 승려를 위해 지었다는 문구만 적혀 있을 뿐 그런 내용은 보이지 않았다.

왼편에 위치한 작은 법당으로 들어가는 연의 가슴은 두근거렸다. 그녀는 우선 부처님께 삼배를 올렸다. 그리고 자리에서 일어나 두 손을 모으고 눈을 들었다. 보리수 아래 결가부좌로 앉은 부처상 양옆으로 무릎을 꿇고 고개를 조아린 제자상이 보였다. 금박이나 채색이 전혀 돼 있지 않아서 세월과 먼지에 바래가는 중이었다. 그가 편지에 묘사한 모습과 똑같았다.

연은 심호흡을 하며 몇 발자국 앞으로 걸었다. 그리고 떨리는 마음을 진정시키며 가부좌를 튼 부처의 엉덩이 뒤로 손을 뻗었다. 지금 이게 무슨 짓이냐며 누군가 당장 멱살을 붙잡아 끌어낼 것만 같았다. 멱살이 붙잡혀도 끝내 해야 할 일이었다. 벽과 좌대와 부처의 엉치뼈가 서로 만나는 좁은 틈을 손끝으로 더듬었다. 양편의 제자상이 가리고 있어서 쉽게 노출될 만한 곳은 아니었다. 그곳에는 아무것도 없었다.

그녀는 다른 방향으로 팔을 뻗어 그 지점을 다시 가만가만 꼼꼼히 더듬었다. 이마에 땀이 맺히며 온 신경이 손끝으로 집중되었다. 그러나 손끝엔 까만 먼지뿐이었다. 시선을 내린 부처와 두 손을 모은 제자들은 아무 말이 없었다. 연은 뒷걸음질로 몇 발자국을 물러나 다시 절을 세 번 올렸다. 그러고는 법당을 나왔다.

햇볕에 달궈졌다가 서서히 식어가는 수도원 터를 연은 천천히 걸었다. 이십 년 전 그가 걸었던 곳이었다. 그는 이곳에서 사흘 동안 그녀를 기다리다가 생일 선물로 준비한 루비 목걸이를 불상 아래에 숨겼다고 썼다. 언젠가 함께 오면 꼭 목에 걸어주겠다는 말을 추신으로 남겼다. 그러나 그 세월 동안 그곳에 숨긴 목걸이가 남아 있을 확률보다 사라졌을 확률이 훨

썬 높았다. 연의 어깨가 처지며 긴 한숨이 새어 나왔다.

그녀는 돌계단을 밟고 본당 이층으로 올라갔다. 풀벌레 소리가 청량했다. 시야가 환히 열리는 평원 건너편으로 에야와 디강이 흘러갔다. 날이 저물어 꽃봉오리가 닫히자 팔랑거리던 호랑나비들이 하나둘씩 사라졌다. 자리에 앉아 있으니 막힌 숨이 트이고 묘하게 마음이 추슬러졌다.

강 쪽으로 해가 기울자 푸르고 붉은 기운이 서편 하늘에서 밀물과 썰물처럼 뒤섞였다. 낮에서 밤으로 넘어갈 무렵의 독특한 바람 냄새가 났다. 자신을 아는 사람이 단 한 명도 없는 곳, 아무런 말도 통하지 않는 곳이 주는 편안함과 막막함이 동시에 몰려들었다. 연은 왠지 아득해져서 코끝이 찡해지고 아랫배 어딘가가 까닭 없이 저릿했다.

그는 이곳을 '누군가를 그리워하기에 딱 좋은 장소'라고 했다. 정경은 웅장하거나 수려하기보다는 자연 상태 그대로여서 이십 년 전과 조금도 다르지 않을 듯했다. 천 년 전에도 어쩌면 같았을 그 풍경과 마주 앉아 그녀는 낮게 중얼거렸다.

"정말 누군가를 그리워하기에 딱 좋은 장소네요."

일몰에 따라서 하늘과 평원과 숲과 탑과 강이 묘한 빛깔과 윤곽으로 일어섰다 기울어지고 합쳐졌다 흩어졌다. 왠지 초연해지고 그 무엇이라도 한껏 받아들일 수 있는 은밀한 장소였다. 이제껏 꽉 움켜쥐고 살던 것들을 허허롭게 놓아버릴 수 있는 곳. 지금 이 온도, 이 햇빛, 이 바람, 이 감정, 이 상태로 생이 끝나도 그리 아쉬울 게 없을 것 같았다.

"그리고 딱 혼자 울기 좋은 곳이네요. 전부를 내려놓고 싶은 곳. 역시 당신만큼 나를 잘 아는 사람은 없어요."

나머지 생을 걸고 단 한 번의 소원이 가능하다면, 연은 이런 생일 선물을 받고 싶었다. 그의 어깨에 머리를 기대고 이 풍경을 함께할 수만 있다면…… 해 질 녘 마주 보며 웃을 수만 있다면…… 그럴 수만 있다면……. 목이 메며 눈앞의 풍경이 뿌옇게 번졌다.

*

소민지 수도원 계단 아래에서 최와 희는 샌들을 발에 걸쳤다. 미얀마로 들어오기 전 희가 온라인 마켓에서 주문한 커플 상품이었다. 최의 것은 파란색이고 희의 것은 분홍색이었다. 최는 두툼한 손으로 희의 매끈한 손을 잡았다. 그렇게 손을 잡고 언덕을 내려가는 길에 현지인 소녀가 모래로 그린 그림을 사라고 붙잡았다. 까무잡잡한 양 뺨에 노란 타나카를 바른 아이의 얼굴은 피로해 보였다.

"넌 너무 늦었다. 벌써 다른 곳에서 세 장이나 샀거든."

최는 큰 손바닥을 펼치며 소녀를 떨쳐냈다. 그렇게 몇 발자국을 걷자 이번에는 청년이 다가와 책을 내밀었다. 조지 오웰이 쓴 『버마 시절』이었다. 펭귄프레스에서 출간된 그것에 희는 눈길을 주었다. 엽서나 그릇이 아니라 기념품으로 책을 호객하는 경우는 좀 낯설었다. 최는 손을 휘휘 저으며 말했다.

"우리가 지금 버마의 날들을 몸소 즐기는 중인데, 골치 아프게 책을 왜 읽어? 그것도 영어로 된 걸."

희가 가격을 묻자 청년은 '특별 가격'으로 주겠다며 7000짯이라 대답했다. 국수 한 그릇이 250짯인 현지 물가에 비하면 터무니없이 비싸지만, 한국 돈 7000원으로 환산하면 나쁘지 않은 가격이었다. 희가 책을 살펴보려고 한 발을 내밀자 최가 손을 홱 잡아끌었다.

"거, 괜히 성가신 짐 만들지 말라고."

희는 청년에게 미안하다고 말하며 그 자리를 벗어났다. 마차가 언덕 아래 길가에서 대기 중이었다. 둘이 나란히 올라타자 말발굽 소리가 경쾌하게 빨라지며 속력이 붙었다. 천년 고탑 사이를 마차는 덜컹거리며 달렸다. 길 양편에 늘어선 아카시아에서 뻗어 나온 무성한 가지들이 허공에서 서로의 어깨를 걸었다. 그 푸른 터널을 마차는 종을 울리며 달려갔다.

최는 여행사 팀장으로 최근 캄보디아-타이-미얀마를 잇는 새로운 관광 코스 개발로 분주했다. 특히 미얀마 루트가 난항을 겪어서 국내 다른 여행사가 선점하지 않은 바간 공략 프로젝트를 성공시켜야 했다. 그는 희에게 현장 답사 동행을 제안했다. 업무를 마무리 짓는 출장 겸 만난 지 이백 일 기념 여행으로도 적합할 듯 보였다. 중학교 영어 선생인 희는 마침 여름방학이었다.

"사실 오빠가 동남아 얘기 꺼냈을 때 별로 기대 안 했어. 근데 생각보다 좋다. 아름답네."

경치에 흠뻑 취한 희의 어깨에 최는 가만히 팔을 둘렀다. 마차가 덜컹거릴 때마다 두 사람의 몸이 기분 좋게 흔들렸다.

"나도 그래. 네가 있어서 여기가 더 아름다워."

"아, 어떻게 맨입으로 그런 오글거리는 말을 해?"

희는 장난삼아 손바닥을 최 앞에 펼쳐 보였다. 최는 주머니에서 뭔가를 꺼내어 희의 목에 걸어주었다.

"어머, 이게 뭐야?"

예상치 못한 선물에 희는 깜짝 놀랐다. 산수유 열매 같은 선홍빛 보석이 박힌 목걸이를 보더니 희는 와락 최의 품에 안겼다. 그러고는 그의 뺨에 가볍게 키스를 했다.

"언제 이런 걸 다 준비했어? 오빠, 사람 감동시키는 재주가 있네!"

희는 행복에 겨운 나머지 그의 어깨에 머리를 깊숙이 기대고 뺨을 비볐다. 최는 입을 크게 벌려 웃었다.

"좋아, 아주 좋아. 이거 특별한 거야."

최는 팔을 둘러 그녀의 허리를 끌어안았다. 희의 목 아래에서 흔들리는 루비 목걸이를 보고는 만족스러운 표정을 지었다.

소민지 수도원의 작은 법당에서 최는 밖에 서 있는 희의 뒷모습을 카메라로 찍으려고 뒷걸음질을 치다가 발이 바닥에 걸리고 말았다. 몸이 크게 휘청하며 손을 간신히 뒤로 짚었는데 공교롭게도 불상의 엉덩이 쪽이었다. 넘어졌으면 부러져도 어디 한 군데 제대로 부러질 뻔한 아찔한 순간이었다. 안도의 숨을 내쉬는 그의 손가락 끝에 뭔가 이물스러운 것이 잡혔다. 최는 손을 깊이 집어넣었다. 정면에서 보기와는 달리 얕은 틈이 벌어진 그곳에서 비닐에 싸인 목걸이를 발견했던 것이다.

"이거 부처님께서 주신 거라고."

최는 불교신자는 아니지만 이 일을 부처님이 바간에서 자신에게 내린 계시로 받아들였다. 넘어질 뻔한 자신을 구하고 보석까지 손에 넣게 하신 부처님……. 이번 출장은 성공할 테니 동행한 희를 사랑하라는 메시지로 해석되었다.

마차는 수도원과 그리 멀지 않은 마누하 사원에서 바퀴를 멈췄다. 두 사람은 뒷자리에서 폴짝 뛰어내렸다. 사원 외관은 장식과 도색이 다 떨어져나가서 잿빛으로 얼룩덜룩했다. 안내문에는 1975년 대지진으로 붕괴된 곳을 콘크리트로 보강했다고 적혀 있으나 희의 눈에는 그저 방치 상태로 보였다.

사원으로 들어간 희는 압도적인 크기의 불상과 마주했다.

벽 한쪽을 거의 다 차지한 본존불은 아치형 사원의 천장까지 꽉 들어차서 답답한 인상이었다. 실내는 어둡고 통로 또한 좁았다. 최가 셔츠 앞자락을 손에 쥐고 펄럭거리며 투덜거렸다.

"아, 덥다 더워."

이런 탑 안의 분위기는 자유를 잃고 감금된 타톤의 왕 마누하의 심정이 반영된 거라고 희는 안내문의 내용을 최에게 설명했다.

"그 심정까지 덥다 더워."

최는 모기에 물렸는지 목을 긁어대며 카메라의 셔터를 습관적으로 눌렀다. 성수기가 아닌 탓에 사원 안에는 방문객이 거의 없었다.

27.5미터의 부처가 길게 드러누운 복도를 걸어서 나오다가 희는 기도하는 남자를 보았다. 황금 본존불 앞에 엎드리는 그의 동작에는 왠지 모를 걱정과 수심이 가득했다. 주위가 침침하고 열 걸음 넘게 떨어진 거리에도 불구하고 희는 남자의 눈에 눈물이 가득 고여 있다는 착각이 들었다. 그러다가 문득 어디선가 본 듯한 얼굴이라고 생각했다.

*

황금 본존불 앞에 엎드려 기도하는 명은 목이 아팠다. 눈물을 오래 참은 탓에 나타나는 증상이었다. 생전 처음 겪는 통증이었다. 자전거를 타고 로카난다 사원에서부터 마누하 사원까지 오는 동안에도 그는 다리보다 목이 더 아팠다.

명이 양곤 국제공항에 도착해서 휴대전화의 '비행기 모드' 설정을 해제하자 메시지가 날아들었다. 바간에 함께 오기로 한 그녀가 보낸 문자는 단 두 줄이었다.

—우린 여기까지인 것 같아. 미안해.

도무지 믿기지 않았다. 심지어 짓궂은 장난질 같았다. 바로 통화를 시도했으나 연결되지 않았고 문자와 메일을 보내도 답신이 없었다. 그녀는 휴가를 떠나기 전 급한 업무가 생겼다며 그보다 늦은 비행기 티켓으로 변경했다. 따로 바간에서 '도킹'하자고 할 때부터 예견했어야 하는 일이었다.

시간이 흐를수록 명은 국제공항에서 안절부절못하며 전화기를 붙들고 한숨을 쉬었다. 스피커에서는 끊임없이 외국어로 방송이 나오고 여행자들은 가방을 끌며 떠나고 돌아왔다. 그녀가 금방이라도 나타날 듯 눈은 쉬지 않고 황망히 주위를 두리번거렸다. 작심하고 연락을 차단한 그녀와의 소통이 불가하다는 걸 알았을 때, 명은 이대로 서울로 돌아가는 것과 예정대로 바간에 들어가는 것 사이에서 선택해야 했다.

마지막까지 초조하게 시계를 보다가 결국 명은 국제선 청사 밖으로 달려 나갔다. 그리고 국내선 보딩 라인에서 스태프가 온전한 티켓을 반으로 찢는 순간, 명은 그녀와 자신 사이에 연결된, 견고하다고 믿었던 다리가 한꺼번에 와르르 무너져 내리는 환영에 휩싸였다. 바간행 비행기 좌석에 앉자마자 명은 어깨를 들먹이며 헛구역질을 했다.

불과 몇 시간 전만 해도 그녀와 휴가를 즐길 단꿈에 젖었던 그는 쇠몽둥이로 뒤통수를 세게 두들겨 맞은 기분이었다. 서울에서 양곤으로 이동하는 사이 그의 세상은 천국에서 지옥으로 뒤바뀌어 있었다. 덜컹거리던 관계는 지난 석 달간 위태위태하게 이어졌으나 이런 식으로 끝이 날지 짐작조차 못한 일이었다.

바간에 가자고 한 건 그녀의 제안이었다. 몇 년간 아이를 갖지 못한 친구가 쉐지곤 파고다의 '럭키 붓다'에게 빌고 나서 임신을 했다며 여름휴가를 이곳에서 보내자고 했다. 휴대전화의 액정으로 본 이곳 풍경은 마치 외계 같았다. 관계 회복을 위한 여행 겸 각자의 소원을 빌러 가자는 말에 명은 동의했다.

무릎을 꿇고 합장한 채로 명은 거대한 본존불을 우러러보았다. 그녀와 함께 오기로 한 장소에서 어느덧 그녀에게 버림받은 그는 기도 외에 달리 할 일이 떠오르지 않았다. 발이 닿는 사원마다 절하며 같은 것을 빌었다. 이 년 가까이 불길처럼 타오르다 한순간 꺼져버린 사랑이 지독한 악몽처럼 여겨졌다.

'이 기다림의 아픔을 견디게 하시고······.'

기도를 마치고 자리에서 일어난 명은 사원의 어둡고 비좁은 통로를 힘없이 걸었다. 한쪽 복도를 통째로 차지한 와불(臥佛)이 보였다. 얼마나 거대한지 부처의 새끼발가락 발톱이 그의 머리만 했다. 불상은 아래에서 위로 보면 웃는 얼굴이었으나 묘하게도 위에서 아래로 보면 슬픈 얼굴이었다. 지상에서 천상을 올려다보는 일과 달리 천상에서 지상을 내려다보는 일은 고통스러운 일일까, 이런 생각을 할 때 꼬마들이 몰려와 엽서 세트를 사라며 들러붙었다.

마누하 사원에서 나온 명은 건너편의 난파야 사원으로 자전거를 몰고 갔다. 그의 손에는 엽서 세트가 세 개나 들려 있었다. 다섯 살 먹은 가장 어린 꼬마의 엽서 세트를 사주자 꼬마의 두 형이 강력히 항의를 하며 따라붙었다. 왜 동생 것만 사고 자신들의 것은 안 사느냐는 불만이었다. 그들을 내려다보며 명은 고개를 끄덕이며 지갑을 열었다.

난파야 사원으로 들어가는데, 얼굴에 타나카를 칠한 소녀들 대여섯 명이 몰려들었다. 명은 미안하다고 말하며 그들을 떼어내고 서둘러 안으로 들어갔다. 그중 가장 나이 든 십대 소녀가 그를 향해 영어로 외쳤다.

"나 여기서 당신을 기다릴 거예요!"

명이 사원을 둘러보고 나올 무렵에는 해가 지고 있었다. 소녀는 그때껏 기다렸는지 그를 보자마자 한걸음에 달려왔다.

기념품 따위엔 관심이 없는 명이 아무리 좋은 말로 사양하고
설명해도 막무가내로 팔을 잡아끌었다.

"일단 구경만 하세요! 여기서 이렇게 기다렸잖아요, 제발!"

여기서 당신을 기다렸다는 그 외침에 명은 맥없이 기념품
가게로 끌려들어 갔다. 전통 방식으로 수개월에 걸쳐 수십 번
옻칠을 했다는 컵은 필요도 없었지만 명은 25달러를 주고 그
것을 구입했다. 컵은 당장 물을 따라 마실 수도 없을 만큼 옻
칠 냄새가 고약했다.

신이 난 소녀는 컵을 신문지에 둘둘 말며 당신을 영원히 기
억하겠다고 덧붙였다. 명은 컵을 내미는 그녀의 눈을 가만히
바라보았다. 그리고 두 손을 모으고 미얀마어로 고맙다고 대
답했다.

"제주띤 바데."

*

게스트 하우스로 돌아와 마당에 자전거를 세우고 열쇠를
채우던 명은 손을 멈칫했다. 두 그루의 님트리 사이에 걸어놓
은 해먹에 젊은 여자가 누워 있었다. 반바지 차림으로 여행 책
자를 읽는 여자는 초승달 모양으로 나른하게 흔들렸다.

승려의 독경 소리는 여전히 지치지 않고 낭랑하게 도시에

울려 퍼졌다. 로카난다 사원의 강변 벤치에서 본 여자였다. 명은 못 본 척 컵과 엽서 세트를 들고 이층 숙소로 올라갔다.

희는 여행 책에서 눈을 떼고 계단을 오르는 명의 뒷모습을 보았다. 기운이 빠진 어깨 아래로 비닐봉지가 맥없이 덜렁거렸다. 마누하 사원에서 고통스럽게 절을 하던 그를 그녀는 알고 있었다. 그는 유명하지는 않지만 그 분야에서는 제법 이름이 알려진 글쓰기 강사였다. 희는 전에 다니던 문화센터 홈페이지에서 본 명의 사진을 기억했다. 수강생들에 둘러싸인 그와 간혹 엘리베이터를 함께 타기도 했다.

명을 금방 알아보지 못한 건 마누하 사원이 어두운 탓도 있지만 핼쑥해진 얼굴 탓이 컸다. 병에 걸렸다기보다는 마음고생이 심한 듯 보였다. 희는 그가 맡은 강의의 커리큘럼을 클릭한 적도 있었다. 그러나 희는 명에게 알은체를 하지 않았고 최에게도 말하지 않았다. 샤워를 마친 최가 수건으로 머리를 말리며 이층에서 내려왔다.

연은 이층 창가에 서서 마당의 남녀 커플을 내려다보았다. 남자가 해먹에 누운 여자를 세게 밀수록 여자는 비명을 크게 질렀다. 여자가 그만하라고 할수록 남자는 이상하게 온 힘을 다해서 여자를 공중으로 띄웠다. 여자가 쩔쩔맬수록 남자는 껄껄 웃어댔다. 그 비명과 웃음소리를 듣고서 연은 소민지 수도원에서 보았던 커플이 그들임을 눈치챘다.

연은 간단히 저녁을 해결할 생각으로 문을 열고 나왔다. 동시에 같은 층에서 문을 열고 나오는 서른 중반의 남자와 눈이 마주쳤다. 둘은 서로 고개를 약간 숙여 인사했다. 발걸음은 똑같이 옥상 레스토랑으로 향했다.

연은 열대과일 샐러드와 샨족의 국수를 주문하고, 명은 닭고기와 바질이 들어간 볶음밥을 주문했다. 먼저 말을 건 쪽은 명이었다. 비수기 탓인지, 아니면 숙박객들이 외부 식당을 이용하는지 몰라도 손님은 둘뿐이었다. 음식이 나오기를 서먹하게 기다리다가 눈이 몇 번 마주치자 명은 한국말로 물었다.

"혼자 오셨어요?"

"네. 그쪽은요?"

명은 살며시 웃으며 고개를 끄덕이고는 말했다.

"낮에 로카난다 사원에서 봤어요. 독경을 읽던 곳."

아, 그랬군요, 하는 표정으로 연은 고개를 끄덕였다. 둘은 각각 사인용 테이블을 하나씩 차지하고 앉아 이런저런 이야기를 했다. 주로 어느 탑을 둘러봤는지에 관한 것이었다. 명이 자주 발목을 긁자 연이 물었다.

"모기한테 물렸나 봐요?"

"자전거를 타느라 땀을 흘린 탓인지 엄청 물렸어요. 여기 모기가 얼마나 독한지 퉁퉁 부었어요. 모기 기피제가 소용없네요."

"나는 안 물렸는데. 길 건너 상점에서 기피제를 샀거든요."

명은 이제야 알겠다는 듯 고개를 끄덕였다.

"아, 저는 한국산을 썼는데 그게 실수였네요. 역시 미얀마 모기는 미얀마 기피제를 써야 하는군요!"

두 사람은 동시에 웃었다. 마침 홀 서빙을 하는 청년이 음식을 내오자 명은 연에게 그쪽으로 가도 괜찮겠느냐고 물었다. 종일 아무 말도 하지 않은 탓도 있고, 저녁을 혼자 먹기 싫은 탓도 있고, 이모뻘 되는 연에게 별다른 경계심이 들지 않은 탓도 있었다.

명이 합석을 하자 청년이 촛불에 등피를 씌워 테이블에 올려놓았다. 덧씌운 등피의 하단에는 미얀마 글자가 적혀 있었다.

ကောင်:တယ်

명은 볶음밥을 몇 수저 뜨더니 그곳을 가리키며 물었다.

"그런데 여기 미얀마 글자 재밌지 않아요?"

연은 동의한다는 듯 손으로 입을 가리며 웃었다. 그리고 음식을 삼키고는 말했다.

"모양이 특이해요. 나무 열매 같기도 하고 막 돋아난 나물의 새순, 물에 뜬 개구리밥 같기도 하고……."

그 말을 명이 이어 받았다.

"연속된 매듭이나 줄지어 선 개미 떼 같기도 하고, 아기의 엉덩이나 엄마의 젖무덤처럼 보이기도 해요."

"동그라미가 많아서 그런지 아랍어보다 훨씬 온순한 기분도 들고······."

명은 신기하다는 듯한 표정으로 물었다.

"이 사람들 대체 하루에 몇 개의 동그라미를 그리고 살까요? 여기 사람들 유순하고 유쾌한 이유가 여기 있나 봐요."

연은 그 말을 듣자 다시 입을 가리고 웃었다. 도서관에서 평생 글자에 갇혀 살아온 자신은 미처 생각지 못한 흥미로운 해석이었다. 미얀마 문자에는 각진 부분이 거의 없었다. 매일 동그라미를 보고 그리는 사람들은 각지거나 삐치고 파인 글자를 읽고 쓰는 사람들에 비해 성격이 원만할 듯했다.

볶음밥을 꼭꼭 씹어 먹던 명은 연의 웃음에서 친근감을 느꼈다. 웃지 않으려 했는데 웃을 수밖에 없어서 웃는 웃음이었다. 무엇보다 높지 않은 톤으로 차분히 말하는 어투가 마음에 들었다. 명은 한 손을 들어서 미얀마비어를 주문했다.

서빙을 하는 청년은 경쾌하게 맥주 뚜껑을 따고는 키 큰 글라스에 보기 좋게 술을 따랐다. 촛불 탓인지 황금빛 기포가 일제히 위로 올라가며 흰 거품으로 변하는 모습이 선명했다. 연이 청년에게 등피에 새겨진 미얀마 글자의 뜻을 묻자 청년은 웃으며 "굿(good) 혹은 웰(well)"이라고 답했다.

명은 혼잣말로 "굿, 웰" 하고 발음하고는 차가운 잔을 손에 쥐었다. 그러자 몸에 활력이 돌았다.

"더운 하루였잖아요. 한잔하시죠."

연도 따라서 잔을 들며 말했다.

"심심하니까 한마디해요."

명은 고개를 갸웃거리다가 잔을 부딪치며 크지 않게 말했다.

"동그라미를 위하여."

연은 오늘 날짜에 동그라미를 치는 기분으로 잔에 입술을 댔다. 맥주는 순하고 쓸쓸한 맛이었다. 생일날 혼자 저녁을 먹지 않은 것만 해도 다행이었다. 발인을 마친 그가 한 줌의 재로 담기는 장면이 스쳐갔다.

명은 오늘 하루에 붉은 원을 그리는 심정으로 잔을 끝까지 기울였다. 부드럽지만 쓸쓸한 맛이었다. 목울대까지 그렁그렁하게 맺혔던 울음이 누그러드는 듯했다. 그나마 저녁까지 우울한 기분을 끌고 들어오지 않아서 다행이었다. 그녀는 지금 어디에 있을까, 라는 궁금증이 일었다.

"아, 여기 좋다, 좋아! 이런 데가 있었네."

쾌활하고 톤이 높은 남자의 감탄사가 들려서 연과 명은 고개를 돌렸다. 레스토랑 안으로 젊은 남녀가 들어왔다. 그들이 옆 테이블에 앉자 네 사람의 시선이 허공의 한 점에서 부딪쳤다.

길이 어긋나는 방향

네 사람은 게스트 하우스 앞에 대기한 사인용 마차에 올랐다. 차양을 두른 마차는 외관이 빅토리아풍이었다. 마부는 챙이 좁은 모자를 쓰고 와이셔츠에 푸른 체크무늬 론지를 입고 있었다. 여성 둘은 순방향에 앉고 남성 둘은 역방향으로 앉았다. 마부가 휘파람을 불며 말고삐를 흔들자 타이어를 덧댄 네 개의 커다란 나무 바퀴가 서서히 움직였다.

"하이, 호스 드라이버? 에야와디 리버, 오라이!"

분위기를 띄우려는 듯 최가 익살스럽게 소리쳤다. 명은 미소를 지으며 고개를 끄덕이고, 연은 살짝 치아를 보이며 부드럽게 웃었다. 하늘에 커다란 뭉게구름이 꽉 들어찬 날이었다. 말발굽 소리가 시원했다.

최와 마주 앉은 희는 입을 꾹 다문 채 고개를 돌렸다. 오후 세 시의 햇빛에 마차 바큇살의 그림자가 바닥에 부채꼴을 그리며 굴러갔다. 희는 최와 단둘이 보트를 타고 싶었다. 에야와 디강에서 타다가 해넘이를 보는 일은 그녀가 이번 여행에서 손꼽아온 하이라이트였다. 세상이 온통 붉게 물들고 보트가 잔잔하게 흔들리는 순간이 오면 최가 자신을 얼마나 사랑하는지 확인하고 싶었다.

지난밤 최는 옥상 레스토랑에서 함께 보트를 타러 가자고 제안했다. 맥주 몇 병을 비우는 동안 최는 희의 이야기에 집중하기보다 옆 테이블에 말을 거는 횟수가 늘어났다. 휴가지에 모인 여행자들의 여유와 호의 때문인지 그들도 최의 접근을 흥미롭게 받아들였다. 최는 술에 취했는지 아니면 흥에 겨웠는지 갑자기 명함을 꺼내 돌리고는 호기롭게 외쳤다.

"내일 에야와디강에 보트 타러 가시지요. 제가 쏘겠습니다."

최의 돌발적인 제안에 두 사람의 얼굴엔 당혹스러운 기색이 스쳤다.

"오빠도 참, 두 분 일정이나 계획도 모르고 막 그러면 어떡해요?"

희가 조심스레 만류했으나, 최는 들은 척도 안 하고 너스레를 떨었다.

"제가 저 강에 배 한 척 띄우겠습니다. 재벌은 아니지만 뭐 그 정도는 됩니다."

최가 취해갈 무렵 희는 옥상에서 그를 거의 끄집어내듯 방으로 끌고 갔다. 그리고 약간 나무라듯 말했다.

"아니, 처음 본 사람들한테 그렇게 막 함께 가자고 하면 어떡해? 내 의견은 묻지도 않고? 우리 둘이 온 여행인데."

"괜찮아. 어차피 보트값은 똑같아. 우리 둘만 타든 넷이 타든 15000짯이라고. 한국에서 어디 15000원 내고 배 한 척 띄울 수나 있나?"

희는 답답하다는 듯 최를 향해 미간을 찌푸리며 언성을 높였다.

"오빠, 지금 돈 얘기 하는 게 아니잖아. 무슨 말인지 몰라?"

"왜 그래? 같은 한국 사람끼리. 이런 비수기에 한 호텔에서 묵는 게 보통 인연인가! 현지 반응 조사가 필요한 거라고."

최는 여행사 개발 팀장으로서 바간을 방문한 한국인들의 인상과 반응, 선호 코스를 조사하는 것도 출장 업무의 일환이라고 강변했다.

"오빠, 내 말 어디로 들었어? 우리 둘만의 시간을 뺏기는 건 왜 생각 안 하냐고?"

도무지 양보도 모르고 타협도 없는 희의 태도에 최는 난감했다.

"누가 감히 우리의 시간을 빼앗나? 지금부터 우리 둘만의 밤인데, 아흐, 더는 못 참겠어!"

최는 희를 와락 끌어안고 공중으로 번쩍 들어 올렸다. 희가 자신의 행동을 움켜쥐려 할 때마다 최는 신경이 거슬렸지만 요령껏 넘길 수밖에 없었다. 희는 꺅, 소리를 지르며 그의 힘에 못 이기는 척 넘어갔다. 희는 최의 태도에 화가 났지만 여행의 시간을 싸움으로 낭비할 수는 없었다.

마차는 올드바간으로 이어지는 좁은 길을 방울을 울리며 달려갔다. 군데군데 푸른 숲이 울창했다. 아카시아, 님트리, 코코넛나무, 보리수 등의 가지 사이로 언뜻언뜻 크고 작은 석탑들이 보였다. 최는 갑자기 마차의 속력을 줄여달라고 외쳤다. 그러고는 몸을 던지듯 뛰어내려 길가의 나무에서 꽃을 따서는 다시 뛰어 올라탔다.

"귀에 꽂아봐."

최는 가쁜 숨을 몰아쉬며 희에게 흰 꽃 한 송이를 내밀었다. 이제껏 굳어 있던 희의 얼굴이 꽃 앞에서 약간 흔들렸다. 별 모양 꽃은 예쁘고 향기로웠다. 희는 그가 마차를 향해 열심히 달려오던 모습이 더 오래 남았다. 엄지와 검지로 꽃대를 잡고 팽그르르 돌리는 그녀의 입가에 슬며시 미소가 잡혔다.

"이거 이름이 뭘까?"

최는 거친 숨을 가라앉히며 짧게 대답했다.

"거참, 꽃이면 됐지. 이름이 뭐가 중요해?"

명이 희를 보며 설명했다.

"프랜지파니예요. 하와이 원주민들이 귀에 꽂는 꽃."

마부가 웃는 얼굴로 돌아보며 "사까와"라고 말했다. 그가 채찍 끝으로 가리킨 곳에 꽃이 활짝 핀 프랜지파니나무 몇 그루가 보였다. 희는 손을 들어 머리카락을 귀 뒤로 가지런히 쓸어 넘겼다. 그리고 그곳에 꽃을 꽂았다. 최가 엄지를 척 세워 올렸다.

"좋아, 아주 좋아!"

희의 귀가 살짝 드러나자 명은 잠깐 눈길을 두었다가 고개를 돌렸다. 희의 목 아래에서 흔들리는 홍옥의 목걸이와 귀에 꽂은 흰 꽃은 잘 어울렸다. 희가 명에게 다시 물었다.

"향이 굉장히 좋네요. 아까 이름이 뭐라고 했죠?"

"'프렌치파이'라고 기억하세요. 아무리 향이 좋아도 막 뜯어먹진 마시고."

희가 쑥스럽게 웃자 연도 미소를 머금었다. 최가 소리 내어 말했다. 마치 중고생들이 시험 전 암기 과목을 외우는 방식이었다.

"프랜지파니, 사까와. 프렌치파이 사서 까 와."

*

마부는 간혹 뒤를 돌아보며 환하게 웃었다. 오랜 세월 볕에 그을려 얼굴은 까무잡잡했으나 인상은 선했다. 손님들의 상태를 점검하는 것 같기도 하고 뭔가 하고 싶은 말이 있는 것 같기도 했다. 이십 년간 말을 몰았다고 하니 서른 중후반으로 짐작됐지만 잔주름이 깊고 콧수염을 길러서 외모로는 나이를 가늠하기 어려웠다. 쉬운 단어만으로도 영어를 능숙하게 잘했다.

최가 말의 이름을 묻자 마부가 대답했다.

"마돈나."

잠깐 아무도 말을 하지 않았다. 최가 다시 물었다.

"마돈나? 아메리칸 싱어?"

"맞아요, 〈라이크 어 버진〉 부른 가수."

네 사람은 동시에 웃음을 터뜨렸다. 모두의 시선은 일정한 리듬에 맞춰 좌우로 흔드는 마돈나의 엉덩이로 향했다. 희가 물었다.

"마돈나는 점심에 뭘 먹고 나왔어요?"

"건초와 콩을 먹고 나왔지요."

오르막길이 나오자 마부는 말의 엉덩이에 가볍게 채찍을 휘둘렀다. 최가 엄지를 치켜들며 말했다.

"대단하네요! 어른 다섯을 태우고도 이렇게 오르막길을 거뜬히 올라가고요."

마부가 같이 엄지를 치켜들며 호탕하게 웃었다. 명은 매일 불경을 들으며 탑을 도는 마돈나를 생각했다. 말이라고 해도 보통 말이 아니었다. 마부는 말몰이에 독특한 소리를 냈는데 사랑하는 연인을 다루듯 부드럽고 나긋나긋했다. 경쾌하게 휘파람을 불거나, 입술을 여닫거나, 혀를 굴리고 튀기면서 속도를 조절했다.

마부는 한 사원을 가리키며 저곳을 가봤느냐고 물었다. 네 사람이 고개를 젓자 그는 말을 그쪽으로 몰았다. 그리고 입술을 여러 번 여닫는 신호를 보내자 말은 천천히 걸음을 멈췄다. 해가 지기에는 이른 시간이니 둘러보라고 하고는 이곳은 벽화가 유명하다고 덧붙였다.

구바욱지 탑 안으로 네 사람은 신발을 벗고 들어갔다. 밝은 곳에 있다가 들어서니 눈앞이 캄캄했다. 고개를 들자 입구의 천장에 커다란 부처의 발자국이 찍혀 있었다. 연이 먼저 본존불 앞에 두 손을 모으고 엎드렸다. 명도 옆에서 무릎을 꿇고 머리를 조아려 삼배를 올렸다.

천 년 전에 지어진 탑 안은 침침하고 퀴퀴했다. 벽에 뚫린 구멍으로 바깥의 바람과 빛이 들어왔다. 네 사람은 앞서거나 뒤서며 사원의 벽화들을 감상했다. 검은색, 흰색, 노란색의 삼색을 주로 사용했는데, 자연광이 닿는 부분에만 그 형체가 겨우 보였다. 그러나 자세히 보면 벽화는 빛이 전혀 미치지 않는 바닥과 천장 부근까지 빼곡했다.

명은 천 년 전 어둠 속에서 사다리를 타고 올라가 붓을 든 화공을 떠올렸다. 벽화는 방문객이 찾지 않는 이상 어둠 속에 있을 게 뻔했다. 방문객이 찾아와도 빛이 닿는 부분만 보일 게 분명했다. 그런데도 드러나지 않을 구석까지 세밀화를 그려 넣은 화공의 정성과 수고에 생각이 미치자 명은 그 자리에 넙죽 엎드렸다.

명을 무릎 꿇게 만든 건 보이는 곳의 아름다움이 아니라 보이지 않는 곳의 비밀스러움에 있었다. 전체적으로 보면, 보이는 곳은 오히려 숨겨진 곳의 일부분이었다. 어쩌면 그 숨겨진 곳으로 인해 화공은 시력을 잃었을 것이다.

희는 사원의 복도에서 절을 하는 명을 보았다. 불상도 없는 그곳에서 명은 더러워지는 줄도 모르고 먼지 낀 바닥에 이마를 댔다. 불교 설화를 옮긴 듯한 벽화는 희에게 별다른 감흥을 일으키지 못했다. 이곳에서 한 번도 절을 하지 않은 자신에 비해 마치 죄인처럼 땀을 흘리며 절을 하는 명이 궁금했다.

명이 사원을 나서자 희는 그 뒤를 따라 나갔다. 명과 희 앞에 현지인 십대 소년이 다가왔다. 최와 연은 저만큼 이야기를 하며 앞서 걸어갔다. 마르고 키가 큰 소년은 책 한 권을 들고서 웃으며 한국어로 인사를 했다. 한국어로 인사를 받자 소년은 영어로 말했다.

"이거 특별 가격으로 드릴게요. 당신은 나의 친구니까요.

이 책을 사면 당신을 영원히 기억할 거예요."

조지 오웰이 쓴 『버마 시절』이었다. 명이 물었다.

"가격이 얼마지?"

"7000짯."

명은 소년에게 어느 부분이 제일 인상적인지, 어떤 이유로 이 책을 권하고 싶은지를 물었다. 소년은 쑥스럽게 웃고는 아직 못 읽어봤다며 대답을 흐렸다. 명이 고개를 갸웃거리자 소년은 얼굴을 붉히며 가격을 바로 5000짯으로 내렸다. 명은 지갑에서 5000짯짜리 지폐를 꺼냈다.

"나를 영원히 기억할 필요는 없어. 대신 이 책을 한 번이라도 읽어. 그리고 이건 읽어보라고 더 주는 거야. 내 말을 기억해줘."

명은 2500짯을 더해서 주며 차분히 소년의 눈동자에 시력을 모았다. 마침 날개가 크고 색이 화려한 나비 한 마리가 명의 머리 위로 날아왔다. 나비는 너울거리며 명과 소년과 희 사이를 날아다녔다.

희는 명이 영어로 가격을 흥정하는 모습이 흥미로웠다. 특별한 이유 없이 그리 대단치 않은 행동에서 비롯된 묘한 감정이었다. 명의 사소한 몸짓이나 말투, 표정이 그의 전 생애와 사람됨을 다 설명할 만큼 아주 크게 눈앞에 다가왔다. 책의 페이지를 주르륵 넘기며 걷는 명에게 희는 말을 걸었다.

"원래 그렇게 좀 후하세요?"

"아니요, 전혀 그렇지 못해요."

명은 쑥스러운 듯 고개를 저었다.

"그럼 책을 읽으라고 2500짯을 더 준 건 좀 무리한 거 아니에요?"

"아니요, 그건 아니에요. 미얀마가 영국 식민 지배를 받은 기간이 육십이 년이에요. 그리고 독립한 지 육십오 년이 넘었는데 아직도 그 시절 지배국 작가의 책이 대표 상품이에요. 이상하지 않아요?"

명은 물음표로 말을 마치고는 딱히 대답을 기다리지 않고 마차에 올라탔다. 희는 전혀 생각지 못한 부분이었다. 명은 이제껏 자신이 알아온 사람과는 다른 부류의 사람일지도 몰랐다.

마차에 네 사람이 앉자 마부는 원숭이가 그려진 벽화를 보았느냐고 물었다. 그리고 아예 마부석에서 돌아앉아 재미있는 이야기를 해주겠다고 했다. 그는 마치 구연동화를 하듯 이야기를 시작했다. 유독 영어를 유창하게 하는 걸로 봐서 단골 스토리인 듯 보였다.

강가에 열매가 많이 열리는 잠보나무가 있었고, 여기에 원숭이 한 마리가 살았어요. 원숭이는 자주 찾아오는 악어에게 열매를 던져주었고 둘은 곧 친구가 되었지요. 악어는 열매를 챙겼다가 돌아가서 여자악어에게 주곤 했어요.

어느 날 여자악어는 그렇게 맛있는 열매를 먹는 원숭이의 심장을 먹으면 오래 살 거라며 그의 심장을 빼내 오라고 졸랐어요. 악어가 그럴 수 없다고 하자, 여자악어는 둘 사이의 관계를 의심하고 질투했어요. 원숭이가 애인이 아니라면, 당장 심장을 가져와서 그 사실을 증명하라고 재촉했지요.

악어는 어쩔 수 없이 원숭이에게 가서 거짓말을 했어요. 망고가 많이 열리는 섬을 알아냈다며 원숭이를 꾀어내 등에 태우고 강으로 나아갔어요. 강 한복판에 이르자 악어는 사실대로 말했어요. 미안하지만 여자친구가 심장을 먹고 싶어 해서 자기도 어쩔 수 없다고.

그러자 원숭이는 그런 사연이라면 왜 진작 말하지 않았느냐고 악어를 탓했습니다. 나무 사이를 뛰어다니느라 심장이 깨져서 잠보나무의 구멍에 숨기고 나왔다는 것이었어요. 그러니 이제라도 뭍으로 가서 그 심장을 찾아오자고 말했어요.

악어는 다시 강변으로 돌아갔지요. 강변에 닿자 원숭이는 나무로 뛰어오르며 말했어요. "함부로 남의 심장을 얻으려 하지 마. 이 말을 무시하면 낭패를 당할 거야." 조롱당한 악어는 슬퍼하며 우정을 회복하려고 변명을 늘어놓았으나 원숭이로부터 매몰차게 외면당하고 말았어요.

마부는 때로 원숭이로, 남자악어로, 여자악어로 목소리를 바꿔가며 열심히 연기를 했다. 이야기가 끝나자 네 사람은 박수를 쳤다. 최가 머리를 긁으며, "이건 뭐 재밌는 얘기가 아니라 거의 설법 수준이네"라고 중얼거렸다. 명은 우리 구토설화(龜兎說話)의 원형인 인도의 용원설화(龍猿說話)라고 짐작했다.

마차가 사라바 게이트 앞의 갈림길에 이르자 최는 오른쪽으로 난 큰길을 가리키며 마부에게 물었다.

"이쪽이 아나라타 로드 맞죠? 아직 시간도 있는데, 우리 이 길 조금만 달립시다. 팁 드릴게요."

마부는 고삐를 튀기고 경쾌한 휘파람으로 마돈나에게 힘을 불어넣었다. 마차가 방향을 바꾸어 크게 반원을 그리며 회전했다. 낮고 푸른 하늘 아래로 님트리 그늘이 드리운 대로가 시원하게 펼쳐졌다. 쭉 뻗은 말의 목 위로 날 선 갈기가 보이고 쫑긋 선 두 귀 사이의 소실점을 향해 마차는 미끄러지듯 달렸다.

명은 사실 오늘 혼자 뽀빠산에 갈 계획이었다. 자전거로 달려서 그곳의 칠백칠십칠 계단을 오르고 녹초가 되어 돌아오려 했다. 그러나 이상하게도 낯모르는 투숙객들과 섞여 마차를 타고 강으로 가고 있었다. 길은 온통 초록으로 빛났다. 마차가 모서리를 돌 때마다 네 사람은 함께 휘어졌다. 함께 소리를 지르며 얼굴의 비슷한 부위를 찡그리고 엉덩이의 비슷한 부위에 힘을 주었다. 이번 여정은 생각대로 되지 않는 일들이 많았다. 리드미컬한 말발굽 소리와 속력에 감탄하며 명이 말했다.

"아, 오늘 일정은 생각지도 못한 일들의 연속이네요."

희가 대답했다.

"생각지도 못한 일들인데, 멋있잖아요!"

*

선착장은 부파야 사원 옆이었다. 강가에 내려서자 명은 여러 척의 배들을 보았다. 흘러가지 못하도록 굵은 밧줄에 묶인 배들은 물 위에서 서로 부딪치며 끝없이 몸부림쳤다. 명은 자신도 모르게 심장박동이 빨라지며 얼굴에 열기가 몰려들었다. 그 모습은 낚시에 걸려서 오도 가도 못 하는 커다란 물고기를 연상시켰다. 명은 당장 뛰어다니며 그 배에 묶인 밧줄들을 전부 도끼로 끊어내고 싶은 충동에 시달렸다.

네 사람은 보트에 올라서 구명조끼를 걸쳤다. 곧 스크루가 돌아가는 굉음이 울렸다. 보트가 물살을 가르며 속도를 올리자 명은 부양감과 어지러움을 동시에 느꼈다. 진흙빛 강물은 깊이를 가늠할 수 없었고 유속은 상당히 빨랐다.

최와 희는 카메라 앞에서 온갖 포즈를 다 취했다. 두 사람은 뺨을 맞대고 찍고, 어깨를 포개고 찍고, 마주 보며 찍고, 먼 곳을 보며 찍었다. 가까운 강과 먼 산을 밀고 당기며 찍었다. 이 순간을 절대 놓칠 수 없다는 의지로 똘똘 뭉친 듯했다.

연은 아까부터 희의 목 아래에서 흔들리는 목걸이에 자꾸만 눈길이 갔다. 단지 붉다고 할 수도 없고 자줏빛이라 할 수도 없는 핏빛의 보석이었다. 연은 그가 숨겼으나 사라진 목걸이를 떠올렸고 그러자 그에 관한 생각을 피할 수가 없었다.

연은 문득 그가 자신의 인생에 매우 중대한 죄를 저질렀다는 것을 알게 되었다. 절도를 하거나 살인을 하는 것만이 죄가 아니었다. 접촉은 흔적을 남기기 마련인데, 한 사람이 한 사람을 만나서 지우기 힘든 낙인을 찍어놓고도 본인만 그 사실을 까맣게 모르는 죄야말로 중죄였다.

보트는 강의 저편으로 나아갔다. 연은 처음에 그가 기혼자라는 걸 몰랐다. 반년쯤 지나서 그 사실을 알았을 때는 이미 정이 깊이 들어서 쉽게 돌이킬 수 없었다. 물살이 거센 강의 한복판에서 계속 움직이던 방향을 바꿔 반대편으로 돌아갈 수 없는 상황과 같았다. 어찌 됐든 앞으로 갈 수밖에 없어서 그런 관계는 일 년 반이나 더 지속되었다.

강의 중심에서 보트는 엔진을 껐다. 갑자기 사방이 고요해지며 물결이 뱃전에 부딪치는 소리만 들렸다. 해가 떨어지며 하늘에 붉고 푸른 기운이 섞이자 강의 물비늘이 짙게 일어나 빛깔과 질감이 묘하게 변했다. 건너편의 텐지다오산(山)이 거대한 검은 새처럼 날개를 펼쳤다.

명은 희의 목걸이를 바라봤다. 레드 계열의 독특한 색감을 가진 이 보석은 미얀마에서 많이 생산되는 루비였다. 명은 그녀가 오늘 밤이라도 바간에 도착한다면 그런 목걸이를 선물하고 싶었다. 그것으로 자신의 진심을 보여주고 새롭게 시작하자며 끌어안고 싶었다. 하늘에는 산불이 난 듯 보라색 구름이 연기처럼 일어나 해 지는 쪽을 향해 몰려들었다.

명은 그녀가 왜 이렇게 자신을 졸렬하고 비참한 인간으로 만드는지 이해할 수 없었다. 왜 약혼녀를 버리게 만들고, 이렇게 자신까지 매몰차게 버리는지 알고 싶었다. 명은 약혼녀의 고등학교 단짝인 그녀가 대범하게 다가온 날을 기억했다. 그녀는 사랑을 고백하고는 아무것도 바라는 게 없다고 했다. 계속된 그녀의 연락에 응하는 것이 위험한 행동인 줄 알았지만, 그녀의 기분 좋은 엉뚱함에 자꾸만 끌려들어 갔다.

그녀와의 관계는 마른 짚단에 불이 붙듯 거세게 타올랐다. 백 일이 지나자 그녀는 약혼녀와 헤어지라며 밤낮 그를 붙들고 애원했다. 전화를 받으면 몇 시간씩 흐느끼는 소리를 들어야 했다. 그녀 앞에서 명은 수천 번 단호한 칼 한 자루가 되고 싶었으나 촛불일 수밖에 없었다. 그녀가 입김을 불면 무조건 흔들렸다. 세게 불면 꺼질 듯 심지 쪽으로 몸이 오그라들었다. 도무지 뜻대로 움직이지 않는 그 한 사람으로 인해 명의 길은 급격히 휘어지고 말았다.

좀 더 예쁜 사진을 찍느라 구명조끼를 벗은 희는 차가워진 강바람에 한기를 느꼈다. 최는 구명조끼를 벗어 던지며 애정을 과시하듯 희를 끌어안았다. 엔진을 끈 배는 천천히 흔들리며 어디론가 떠내려갔다. 희는 한 남자의 품에 안긴 이 시간이 영원히 계속되기를 바랐다. 그러나 최는 깜빡 잊었다는 듯 몸을 떼어내며 주머니에서 카메라를 꺼냈다.

"자, 우리 단체사진 한 장 찍으시죠. 배가 시동을 걸면 사진이 흔들리거든요."

그 말을 듣고도 연과 명은 미동도 하지 않았다. 희는 연이 좀 처량하다고 생각했다. 초라한 구명조끼를 꼭꼭 동여매고 물살에 홀린 듯 우울한 표정을 짓는 연을 보며 희는 나이 들어서 절대 혼자 이런 곳에 오지 않겠다고 다짐했다. 반면에 명은 왠지 가여웠다. 저렇게 괜찮은 남자가 대체 무슨 일로 이 멋진 순간에 저리 풀이 죽었는지 묻고 싶었다.

최가 카메라를 흔들며 한 번 더 소리치자, 연은 상대의 기분이 상하지 않도록 분명하게 대답했다.

"저는 괜찮아요."

"무슨 말씀이세요. 우리가 언제 에야와디강에서 이렇게 함께하겠어요. 생애 처음이자 마지막인데."

연은 손바닥을 펼치며 고개를 저었다. 사진을 찍고 싶은 마음도 없고 이곳에 왔다는 흔적을 남기고 싶지도 않았다.

"카메라 이리 주세요. 제가 세 분 찍어드릴게요."

"아니에요. 거기 가만히 계세요."

최는 희의 손을 잡고 일어나서 연과 명 사이에 끼어 앉았다. 그리고 보트를 모는 청년에게 카메라를 넘겼다. 청년이 렌즈를 들이대자 네 사람은 팔을 벌려 서로의 어깨를 둘렀다. 플래시가 몇 번인가 번쩍거렸다.

해가 텐지다오산 뒤로 떨어지니 주위가 삽시간에 캄캄해졌다. 청년이 엔진을 가동하자 다시 스크루가 돌아가는 굉음이 일었다. 그 와중에 명이 입을 열었다.

"이렇게 보니 탑이 아니라 등대네요, 부파야 파고다는."

"부파야가 어디 있어요?"

옆에 앉은 희가 묻자 명은 팔을 뻗어 검지 끝으로 가리켰다.

"저거 보여요?"

희는 시력을 모으며 명의 어깨 옆으로 얼굴을 바싹 붙였다.

"어디요?"

"저기요, 저거."

명은 다가온 희의 체온과 향수 냄새를 모른 척했다. 명의 손가락이 가리키는 곳으로 희와 명의 시선이 한 점으로 모였다. 그러자 금빛으로 돋올한 탑이 보였다. 어두울수록 더욱 빛을 발하는 금탑은 그 자체로 방향을 가리키는 등대였다.

선착장을 떠난 마차는 바간-차욱 로드를 내려와 뉴바간 강변의 시뚜 레스토랑에서 멈췄다. 레스토랑에서 게스트 하우스까지는 충분히 걸어갈 만한 거리여서 마차를 보내야 했다. 최가 명의 어깨에 친근하게 팔을 두르며 말했다.

"형, 보트비는 제가 댔으니 마차비는 형이 처리하는 게 모양새가 좋지 않을까요?"

최는 어느새 명을 '형'이라 부르며 유들유들하게 굴었다. 명이 마부에게 비용을 물으니 25000짱이라 했다. 네 사람이 움직였으니 과한 금액은 아니지만, 비수기의 현지 교통비로 적은 것도 아니었다. 최는 명보다 두 살이 어렸지만 생색도 내고 실속도 챙기는 일에 능숙했다.

"형, 이왕 주시는 거 팁도 살짝 얹어주시고요."

연이 눈치를 챘는지 지갑을 꺼내며 다가와서 명은 서둘러 돈을 더 얹어서 지불했다. 그리고 두 손을 모아 마부에게 "제주띤 바데"라고 인사했다. 고생한 마돈나에게도 목을 어루만지며 "제주띤 바데"라고 말했는데, 명의 손이 흥건히 젖을 정도로 땀이 묻어났다.

*

시뚜 레스토랑은 처마만 있고 벽이 없는 개방형 구조였다.

대나무로 맵시 있게 짠 의자에 앉자 옆으로 강이 흘러가는 소리가 들렸다. 넷은 미얀마비어를 주문하고 음식이 나오길 기다리며 테이블에 놓인 땅콩을 먹었다. 땅콩은 크기가 작지만 단단하고 고소했다.

미얀마비어가 나오자 최가 투명한 유리잔을 기울여 술을 채웠다. 흰 거품이 적당하게 일도록 따르는 솜씨가 수준급이었다. 그리고 잔을 들며 외쳤다.

"자, 다 같이 아옹민 빠세!"

네 개의 맥주잔이 허공에서 서로 부딪쳤다. '아옹민 빠세'는 원하는 대로 이루어진다는 뜻의 이곳 건배사였다. 차가운 금빛 액체가 건조한 목구멍으로 흘러들어가자 온몸에 환한 불이 켜진 듯했다. 네 사람은 잔에서 입을 떼고 동시에 감탄했다.

"맛이 상당히 좋네요. 근데 나라 이름을 브랜드로 쓴 게 독특해요. 우리로 치면 '대한민국 맥주' 이런 식인데."

명이 말을 꺼내자 최가 답을 했다.

"1989년 군사정권이 국호를 버마에서 미얀마로 바꿨어요. 새로운 국호를 빨리 국민들에게 인식시키는 방법으로 그렇게 지었다는 설이 있더라고요. 벨기에와 독일 맥주 대회에서 트로피를 여러 번 받았고요."

최의 말에 모두들 고개를 끄덕였다. 미얀마 투어 루트를 개발하는 여행사 팀장답게 그는 해박했다.

"미얀마는 우리에게 익숙한 태국, 베트남 바로 옆인데도 이상하게 먼 나라로 취급됐어요. 남방불교 국가 중 찬란한 불교 유적을 간직해서 관광 상품 개발이 무한하거든요. 중국, 라오스, 타이, 인도, 방글라데시 다섯 나라와 국경이 닿아서 연계 상품도 가능하고……."

미얀마의 지리적 특성에 대한 최의 설명이 한동안 이어졌다. 명은 이 나라가 인접 5개국과 서로 살갗을 맞대고 오랜 세월 부침을 겪은 점이 인상적이었다. 레스토랑에 가면 늘 다섯 나라의 음식이 골고루 메뉴판에 등장하는 것도 이해됐다. 희는 이 이야기를 벌써 여러 번 들은 듯, 포크 손잡이로 맥주 뚜껑을 문지르는 데 열중했다. 뚜껑 안에 피막이 벗겨지며 감춰진 미얀마 글자가 드러났다.

와이셔츠를 말쑥하게 차려입은 웨이터가 주문한 음식을 내오자 희가 맥주 뚜껑 두 개를 웨이터에게 보였다. 그러자 웨이터가 환하게 웃으며 말했다.

"이건 꽝이고, 이건 맥주 두 병이 무료네요."

뜻하지 않은 행운에 네 사람은 박수를 치며 환호성을 질렀다. 건너편 테이블에서 식사를 하던 백인 관광객들이 웃으며 엄지를 치켜세웠다.

"미얀마 정말 좋은 나라 맞네요. 아웅민 빠세?"

이제껏 가만히 있던 연이 환하게 웃으며 잔을 들었다. 테이블에 활기가 돌며 네 사람은 잔을 부딪쳐 남은 술을 전부 비웠다. 곧이어 차가운 맥주 두 병이 들어오자 잔을 채우고 즐겁게 식사를 했다.

접시를 반쯤 비울 무렵, 명이 스푼을 먼저 내려놓으며 화제를 꺼냈다.

"그런데 그 이야기의 끝은 비극일까요, 희극일까요? 악어 연인 말이에요."

최가 기다렸다는 듯 바로 대답했다.

"그야 물론 비극이죠. 여친 악어는 뭔가를 먹지 않으면 못 견뎠을 거예요. 원숭이의 심장을 못 먹은 대신 우리 불쌍한 악어의 심장을 빼먹었을 거예요."

희가 맥주를 한 모금 들이켜고는 물었다.

"그 무슨 엽기적인 결말이에요?"

최는 희 쪽으로 눈길도 주지 않고 맞은편의 명과 연을 향해 팔을 뻗으며 어필했다.

"왜, 그런 여자들 있잖아요? 남자에게 매번 힘든 요구를 하고 계속 곤란한 숙제를 내주는. 안 봐도 뻔해. 다음엔 사자 심장이 먹고 싶다고 징징댔을 거라고. 남자는 내내 뻥이 치다가 결국엔 심장을 잃어요."

최는 억울한 표정을 지었다. 곧장 희가 반박했다.

"이 오빠 여자 마음 모르시네. 여자악어는 남자악어가 자신을 위해서 뭔가 특별한 걸 해주길 바란 거예요. 여자는 늘 남자가 자신을 얼마만큼 사랑하는지 알고 싶으니까."

최가 틈을 주지 않고 포크로 허공을 찔러대며 목소리를 높였다.

"그러니까 늘 남자는 시험에 들지. 여자의 말을 매번 들어서는 안 돼요. 그게 이 이야기의 위대한 교훈이에요. 아흐, 사랑에 속고, 우정에 속은 가여운 악어!"

최는 넓적한 쌀국수를 크게 떠서 볼이 미어지도록 입에 밀어 넣었다. 두 사람의 말다툼이 끝나자 테이블에 잠시 정적이 흘렀다. 보트에서 다정히 사진을 찍을 때와는 분위기가 사뭇 달랐다. 희는 졌다는 듯이 맥주를 홀짝이고는 덧붙였다.

"맞아요. 우리는 누군가의 심장을 먹고 싶어 해요."

가만히 듣고만 있던 연이 입을 열었다.

"여자가 원하는 건 어떤 약속 아닐까요? 약속을 끝까지 지키기 위해 남자가 어떤 시도를 하고 애쓰는 태도를 보려 한 거 같은데. 그만큼 했다는 걸 알았으니까 해피엔딩이 될 수도 있어요."

최가 포크를 접시에 던지듯 놓으며 반발했다. 채 다 삼키지 못한 국수 몇 가닥이 입에서 튀어나왔다.

"약속은 그렇게 일방적인 게 아니죠! 그리고 왜 남자만 애를 씁니까? 왜 여자는 늘 갑이냐고요?"

연이 난감한 표정을 짓자 명이 차분하게 끼어들었다. 화제를 꺼낸 탓에 이 분위기를 바꿔야 한다는 이상한 책임감이 들었다.

"남자악어가 원숭이 심장 대신 들고 간 건 스토리 아닐까요. 일종의 꽃다발이죠. 스토리가 때로는 사람을 감동시키잖아요. 약속을 지키려고 이런저런 시도를 했다는."

최가 고개를 돌리며 비아냥거리는 말투로 받아쳤다.

"에이, 형, 그건 대체 몇 살짜리 동화야? 어떤 여자가 그런 구차한 변명을 들어줘요? '됐고, 그럼 니 심장 내놔!' 하지!"

그 말에 나머지가 일제히 웃음을 터뜨렸다. 명도 졌다는 듯 두 손을 번쩍 들며 대답했다.

"그러고 보면 여성은 참 용감해요. 자신이 원하는 걸 정확하고 단호하게 요구하잖아요. 쟁취할 줄도 알고요."

최는 어이가 없다는 듯 입을 벌리며 명을 바라보고, 희와 연은 잔을 맞부딪치며 건배를 제안했다.

"아옹민 빠세!"

최가 고개를 도리도리 저으며 인상을 찌푸렸다.

"전 용감한 사람들이랑 짠 안 합니다. 아, 부디 더는 용감해지지 않기를!"

손수건으로 입가를 닦던 명이 그 말에 더 크게 웃었다.

그런 명을 희는 눈여겨보았다. 그리고 그가 말할 때마다 가

만히 귀를 기울였다. 명의 음성은 크지 않았지만 왠지 둥글고
따뜻했다.

　테이블에 늘어선 미얀마비어 병이 탑처럼 보였다. 음식을
먹고 나서도 네 사람은 여유롭게 이야기를 나누었다. 접시가
치워지자 희고 얇은 종이에 싸인 타마린이 디저트로 나왔다.
혀끝에 달콤하고 신맛이 돌면서 입 안에 박하 향이 퍼졌다. 최
는 여행사에서 걸려온 국제전화를 받으며 밖으로 나갔고 연
은 화장실에 가려는 듯 일어났다.

　새끼 고양이가 테이블 아래에서 작게 울었다. 연한 갈색 털
에 검은 줄무늬, 초록색 눈망울과 양 뺨에 돋은 흰 수염이 앙
증맞았다. 주둥이를 벌려 울 때마다 쪼개진 쌀알 같은 송곳니
사이로 꽃잎처럼 붉은 혓바닥이 보였다. 명이 테이블 밑으로
허리를 숙여 잡으려 하면 고양이는 번번이 손아귀에서 벗어
났다. 희가 중얼거렸다.

　"싫은가 봐요."

　"그러게요. 요즘은 손에 잡히는 게 없어요."

　어두운 강 위로 별이 빼곡히 돋아났다. 희가 테이블 위에 턱
을 괴고 물었다.

　"여긴 어떻게 왔어요?"

　명은 잠시 뜸을 들이다가 힘없이 대답했다.

　"만나기로 약속한 사람이 있어요."

"언제 오는데요?"

명은 어떤 대답을 할지 난감해하다가 시선을 테이블 모서리로 떨어뜨렸다.

"온다고 했는데 아직 안 와서 기다리고 있어요."

이제껏 들리지 않던 로카난다의 독경 소리가 명의 귀에 갑자기 크게 들려왔다. 그 방향으로 고개를 돌리자 어제 본 로카난다의 금탑이 검은 강물 위로 길게 누워 있었다.

"온다고 했으면 곧 오겠죠. 내일쯤?"

"근데 여기가 아니라 다른 데로 간 것 같아요."

희가 뭔가를 더 물으려고 할 때, 최가 돌아왔다. 명과 희는 입을 꾹 다물었다. 잠깐 어색한 정적이 흘렀으나 곧이어 연이 돌아왔다. 연은 계산서를 접어서 지갑에 넣으며 오늘 일정이 즐거워서 자신이 저녁을 샀다고 말했다. 최는 그럴 필요까지는 없었다며 큰 소리로 웃었고, 약간 놀란 듯 명과 희의 두 눈이 잠시 마주쳤다. 곧 두 사람은 동시에 손을 모은 채 "제주떤 바데" 하고 미얀마식으로 인사했다.

화장실을 다녀온 희가 레스토랑 밖이 너무 깜깜하다며 돌아가는 길이 안전한지를 걱정했다. 최는 쓸데없는 걱정을 한다는 듯 핀잔을 주었다.

"뭐가 무서워? 내가 있는데."

명은 슬쩍 일어나 레스토랑 밖을 살폈다. 가로등이 없는 강변은 칠흑 같았다. 명은 수염을 근사하게 기른 매니저에게 밖이 너무 어두운데 큰길까지 안전한지 물었다. 네 사람의 여권과 지갑이 털리는 불상사가 벌어질까 염려됐다. 웨이터는 걱정하지 말라며 활짝 웃었다.

넷이 레스토랑을 나설 때 말쑥한 셔츠를 입은 웨이터 두 명이 오토바이를 몰고 나왔다. 웨이터들은 넷이 걷는 양옆으로 전조등을 환하게 밝히며 천천히 달렸다. 오토바이 두 대의 호위를 받으며 넷은 밤길을 흥겹게 걸었다. 뺨이 붉어진 연이 말했다.

"미얀마에서 이런 에스코트도 받고, 오늘 생각지도 못한 일들이 많네요."

"생각지도 못한 일인데, 멋있어요. 덕분이에요."

희는 명을 향해 환하게 웃었다. 희는 명이 영어로 매니저와 이야기 나누는 모습을 테이블에서 지켜보았다. 자신의 걱정을 무작정 누르는 최보다 주위의 친절을 이끌어낸 명이 근사해 보였다. 최는 오토바이를 모는 웨이터 청년에게 수고가 많다면서 자기가 오토바이를 타겠으니 대신 걸으라고 농담을 건넸다. 큰길에 이르자 웨이터들은 손을 흔들고는 전조등의 불빛을 둥글게 뿌리며 돌아갔다.

*

연이 조용히 물었다. 지난밤 옥상 레스토랑 테이블의 같은
자리였다.

"자꾸 떠오르나요?"

"눈을 깜빡일 때마다 생각나요. 이만큼 생각한 적도 없는
것 같아요. 방에서 발가락 슬리퍼 두 켤레만 봐도 떠오르고."

게스트 하우스에 도착하자 최와 희는 방으로 들어가고, 연
과 명은 옥상으로 올라왔다. 저녁때 마신 술이 좀 부족했고,
즐거운 시간이 끝나자 혼자 방에 갇히는 게 싫었고, 아름다운
곳에서 함께하지 못한 연인에 대한 아쉬움이 은연중 둘 사이
에 통했다.

명은 답답한 심정을 더는 감출 수가 없어서 기다리는 여자
에 대해 털어놓았다. 오늘도 다른 손님은 없었다.

"잊을 수 있을 거 같아요?"

"어떻게 잊어요? 그녀가 준 프랑스제 립밤이 남았어요. 손
수건도 주머니에 있어요. 그걸로 입술을 바르고 이마의 땀을
닦아요. 어떻게 이럴 수가 있죠? 머릿속이 온통 한 사람으로
꽉 차 있어요."

"괜찮아요. 한 달만 정신병자처럼 살면 되니까."

명은 술잔을 단숨에 비웠다. 그리고 우울하게 말했다.

"그 말을 어떻게 믿죠? 내가 가진 것을 버리고 함께하고 싶은 사람이었어요. 그런 사랑을 하셨다면 그 말을 믿을게요."

연도 잔을 들어 술을 비웠다. 옥상 너머로 가지를 드리운 코코넛나무의 넓은 이파리가 바람에 너울거렸다. 연은 명이 자신의 잔에 술을 따라서 채우는 것을 지켜보았다. 그리고 자기가 사랑한 사람은 열두 살이 많았고 이십 년 전 이야기니까 이젠 할 수 있겠다며 입을 열었다.

명은 머릿속으로 나이를 계산했다. 서른 살의 여자와 마흔두 살 남자의 관계였다. 그러자 여러 개의 물음표가 연이어 떠올랐다. 명의 생각을 읽었는지 연은 잔을 만지작거리며 쓸쓸히 웃었다.

"갑자기 궁금한 게 많아지죠?"

명은 고개를 끄덕였다.

"우리는 고통스러운 관계였어요. 내가 그를 사랑할수록, 그가 나를 사랑할수록. 사랑 외에는 아무것도 없는, 그다음이 없는 관계."

명은 잔을 만지며 고개를 끄덕였다.

"나는 늘 헤어질 준비를 해야 했어요. 사소한 인사도 그만 만나자는 말로 들렸어요. 알고 보면 아무 뜻도 아닌데, 가벼운 표현에도 비참하고 서운해서 울었어요. 깊이 사랑하는데도 늘 불행했어요. 누구에게 털어놓을 수도 없고……."

"저쪽한테 관계를 정리하라고 요구하지는 않았나요? 계속 그렇게 불행할 수만은 없잖아요."

"하찮은 노리개가 된 기분이더군요. 지금 생각하면 우습지만, 남이 가진 보석처럼 그가 너무 멋지고 훔치고 싶었어요. 이 상태로는 더는 만나지 않겠다고 말했죠."

이야기는 정해진 순서로 가고 있었다. 늦은 밤이어서 독경 소리는 더는 들리지 않았다.

"그는 마침 미얀마에서 활동 중이었고, 내가 원하는 대로 정리를 하겠으니 바간으로 오라고 했죠. 여행을 하며 새로운 인생 계획을 짜고 소원을 빌자면서."

명은 잔에 남은 술을 끝까지 들이켰다.

"그런데 나는 가지 않았어요. 가질 수 있다는 걸 안 순간 갖고 싶지 않았던 건 왜일까요. 그와 새로운 곳에서 시작한다 해도 어쩌면 그건 새로운 생활이 아니라 다른 일상의 시작일 뿐이었겠죠."

명은 연의 이 대목이 진심일까, 의심이 들었다. 의심은 자신이 기다리는 그녀도 그런 이유에서 지금 오지 않는 걸까, 하는 질문으로 이어졌다. 그러나 말을 끊을 수는 없었다.

"그 순간에 끊는 것이 최선이라고 생각했어요. 이 년을 만났으니까 내 인생을 통틀어 가장 오래 고민해서 내린 결정이었어요."

그것이 과거에 연이 바간에 가지 않은 이유였다. 지금 그녀도 오지 않는 게 최선이라고 판단했을까. 왜 오지 않는 것이 최선인지 명은 여전히 이해할 수가 없었다.

"억울함이 오래갔어요. 헤어지면 그 사람은 돌아갈 데가 있고, 나는 돌아갈 데가 없잖아요. 화가 나더군요. 내가 없어도 그는 누군가와 얼마든지 행복할 테니까."

"저는 그렇게 생각하지 않아요."

갑작스러운 명의 반론에 연은 말을 멈췄다.

"한 사람을 잃는 아픔의 중량은 모두 같아요. 어느 한쪽이 돈이 더 있어도, 친구가 더 많아도, 설령 그가 제국을 소유하더라도⋯⋯. 지위고하, 나이가 많고 적고, 돌아갈 곳의 유무를 떠나서 한 사람을 잃는 아픔은 모두 같아요."

연은 매우 느리게 고개를 끄덕였다. 명은 이어서 말했다.

"한 사람을 잃으면 그 사람의 형질이 전과는 달라져요. 그 달라진 형질이 어디로 돌아간들 회복되겠어요? 양쪽 모두 평등하게 달라지는 거예요. 그걸 모를 리가 없잖아요."

"그때는 그걸 몰랐어요. 그걸 모를 만큼 눈이 어두웠어요."

두 사람은 아무 말 없이 빈 잔을 바라보았다. 오랜 세월 속에 감춘 이야기를 한꺼번에 풀어낸 탓인지 연의 얼굴은 붉게 상기되어 있었다.

"바간에 가지 않은 것으로 끝이었나요?"

"바간에서 편지가 한 통 날아왔어요. 그에게 답신을 썼지만 부치지 않았어요. 그걸로 끝이었죠. 해피엔딩인가요, 새드엔딩인가요? 나는 그를 잊기 위해 다른 남자를 만나러 선보러 다녔어요."

명은 깊은 숨을 내쉬며 아직 엔딩이 아닌 것 같은데, 라고 중얼거렸다.

"그와의 일이 오래갔어요. 그 뒤로 저는 제대로 된 연애조차 못 했어요."

"이상한 부탁처럼 들리겠지만, 쓰셨다는 그 답신을 꼭 한번 보고 싶어요."

"누가 글 선생 아니랄까 봐. 틀린 문장 찾아서 빨간 펜 긋고 싶나요?"

"아니요, 편지가 그때의 복잡한 심사를 모두 드러낼 수는 없겠지만, 당시의 어떤 진심을 엿보고 싶은 거예요."

연은 잠깐 아무 말이 없다가 힘없이 웃고 말았다.

"어디 이십 년 전에 쓴 편지가 남아 있을 턱이 있나요."

명은 쏩쏠하게 웃으며 그렇겠죠, 하고 중얼거렸다. 머릿속에는 연의 말과 그녀가 엇갈리며 지나다녔다. 명은 손목시계를 보고는 말했다.

"이제 열두 시가 막 넘었으니까 하루가 남았네요. 오지 않을 것 같아요. 기다리는 줄 알면서도 오지 않는 사람의 마음은 뭘까요."

무겁게 잠긴 명의 말에 연의 눈가가 붉어졌다. 어떤 간절함이 연의 마음을 건드리며 지나갔다. 그가 보내는 신호를 명의그녀가 모를 리 없을 것 같았다. 사랑하는 사람은 바다 건너산 너머에서도 연인이 부르는 소리를 듣는 법이니까. 연은 명을 보며 새삼 과거의 그가 어떤 고통 속에서 자신을 기다렸는지 짐작됐다.

이제 그만 들어가야 할 시간이어서 둘은 자리에서 일어섰다. 어깨를 나란히 하고 걷던 연은 팔을 뻗어서 축 늘어진 명의 어깨를 다독였다.

"너무 고민하지 말아요. 시간이 가진 치유력은 상상 이상이에요. 어쨌든 하루를 보내면 그 전으로 돌아가지는 않아요. 전과는 달라져요. 그게 내일이 될 수도 있어요."

"이십 년 전 사랑을 잊지 못해 찾아온 분이 할 위로는 아닌것 같은데요."

"사랑은 변하지 않아요. 근데 사람은 변하니까 그게 가능해요. 빨리 변하면 돼요, 아이처럼."

키 큰 코코넛나무 이파리 사이로 걸러진 바람이 시원하게불어왔다. 두 사람의 그림자가 옥상 바닥으로 가늘고 길게 늘어졌다. 코코넛이 둔탁하게 바닥으로 떨어졌다.

강의 깊은 중심

옥상에서 내려와 잠자리에 누웠을 때 연은 옆방에서 최와 희가 몸을 섞는 소리를 들었다. 열대지역의 게스트 하우스는 방음 시설이 형편없었다. 벽 하나를 건너서 그들이 속삭이는 음성과 움직이는 기척과 삐걱대는 침대 소음이 고스란히 들렸다. 여자는 톤이 맑고 높으며 남자는 굵고 낮았다.

젊은 남녀의 신음이 서서히 겹치며 규칙적으로 이어지자 연은 어둠 속에서 깊은 한숨을 내쉬었다. 그리고 양팔을 엇갈려 가만히 자신의 어깨를 끌어안았다. 그의 체온과 입술과 손길과 속삭임이 그리웠다.

연은 그를 만나고 난생처음 자신의 말을 제대로 이해하는 사람과 마주한 듯했다. 그를 만나고 나서야 자신이 그동안 사람들 앞에서 그저 혼잣말을 중얼거리던 여자란 사실을 깨달았다. 그와 이야기하기 전까지 그녀의 말은 온전한 말이 아니었고 그와 자기 전까지 그녀의 몸은 온전한 몸이 아니었다.

그와 대화를 나누면 연은 이 세상에서 가장 값진 이야기를 하는 사람으로 변했다. 자신의 입에서 나오는 말이라 믿을 수 없을 정도로 그녀는 자신 안에서 더없이 소중한 것들을 발견해냈다. 그녀가 말할 때 그는 넘치는 말은 덜어서 듣고 모자라는 말은 더해서 이해했다. 기쁜 이야기에는 덩실덩실 춤을 출 듯하고, 슬픈 이야기에는 울먹울먹 눈시울을 붉혔다.

더욱이 함께 보내는 밤은 연에게 충만했다. 약속을 잡는 순간부터 심장박동의 리듬이 달라지고 몸의 상태가 달라졌다. 연은 그의 사려 깊고 따뜻한 손길이 좋았다. 어깨와 등을 손바닥으로 원을 그리듯 어루만지고 엉덩이로 뻗은 척추 마디마디를 훑어 내릴 때면 간질간질하고 아슬아슬한 기분에 몸이 들떴다. 그의 마음이 손길과 입술을 통해 고스란히 전달되었다.

두 사람이 처음 서로를 안았을 때 그녀는 스물아홉 살이고 그는 마흔한 살이었다. 무려 십이 년 차이 나는 띠동갑이지만 만나는 이 년 동안 연은 그에게 실망한 적이 없었다.

격렬하게 몸을 섞던 밤, 그가 연의 머릿결을 어루만지며 말했다. 연은 그의 팔을 베고 꿈결 어딘가를 떠다니고 있었다.

"싱글과 싱글의 연애는 가짜야."

"가짜라고요? 왜요?"

"절박하지 않잖아. 너무 안전하다고. 안전한 연애처럼 지루한 건 없어."

연은 언제 곤두박질할지 모를 이 관계가 어떻게 끝을 맺게 될지 늘 아득했다. 그러나 그의 품에 안겨 있는 순간은 자신이 세상에서 제일 소중한 사람이라는 자각으로 행복했다. 그것이 한낱 환상일지라도 그는 연에게 그런 믿음을 주었다.

"아무것도 원하지 않아요. 당신에게 원하는 건 단 하나, 사랑밖에 없어요."

"미안해. 나도 그게 전부야. 그 외엔 줄 것도 없고 약속할 수도 없어."

그렇게 자신을 끌어안은 그의 단단한 팔과 가슴, 우뚝한 콧날과 턱선이 연에겐 전부였다. 그를 놓치기 싫을수록 연의 몸짓은 더욱 간절해졌다.

"행복한 일이 아무것도 없어요. 당신과 지내는 시간 외에는. 오직 함께 있을 때만 깊이 잠들 수 있어요."

그의 둥근 팔이 그녀에게는 유일한 방패이자 성곽과도 같던 시간이었다. 연은 엇갈린 손으로 자신의 양쪽 어깨를 세게 움켜쥐었다. 압박감이 느껴지며 눈물이 흘러내렸다. 그와의 달콤했던 대화가 떠오를수록, 뒤섞였던 몸짓이 뜨거울수록 연은 뭔가 서럽고 원망스러웠다.

벽 너머에서 들리는 남자의 음성이 마치 죽어가는 사람의 것처럼 들렸다. 유독 낮은 신음은 심장박동이 멈추기 직전 간신히 이어가는 헐떡거림 같았다. 가는 숨줄을 붙잡은 채 호흡을 끊지 않으려고 몰아쉬고 내쉬는 소리가 이어졌다.

석 달간 미얀마 북부에서 농업기술보급 NGO 활동을 마친 그가 찾아온 날이었다. 햇볕에 까맣게 그을린 그의 얼굴은 수심이 가득했다. 다시 돌아가서 마무리 작업만 끝내면 일주일 휴가를 받는다며 함께 바간을 여행하자고 했다. 그는 연 앞에 미얀마행 비행기 티켓과 비자를 내밀었다. 연의 거듭된 이혼 요구에 가정과 가족을 정리하겠다고 말한 날이었다.

"그런데 얼굴색이 상당히 안 좋아요."

그는 한참을 망설이다가 안간힘을 내어 입을 열었다.

"결심을 했는데도 사실 두려워."

"뭐가 두려워요?"

입술을 떼는 그의 눈 그늘이 유독 짙어 보였다.

"처자식을 내동댕이치고 전처럼 너를 사랑할 수 있을까?"

그날 밤 연은 잠을 이루지 못했다. 새벽녘, 옆에서 자는 그의 기척이 심상치 않았다. 연이 어둠 속에서 괜찮으냐고 물어도 뜻을 알 수 없는 해괴한 웅얼거림만 들려왔다. 자리에서 일어나 불을 켜자 그는 숨이 끊어질 듯 몰아쉬며 가슴을 쥐어뜯고 있었다.

연은 그를 본 순간 손으로 입을 막은 채 꼼짝을 할 수가 없었다. 그는 식은땀에 흠뻑 젖어서 곧 죽을 것 같은 창백한 얼굴로 연을 올려다보았다. 마치 연이 온 체중을 실어서 그의 심장을 짓밟고 선 듯, 불안과 공포에 질려 살려달라고 애원하는 눈빛이었다.

출동한 119 구조대가 응급처치를 하고 그를 들것에 실어 앰뷸런스로 옮겼다. 연은 신발도 제대로 신지 못하고 그의 손을 붙잡은 채 따라가며 울었다. 그런데 숨도 제대로 못 쉬는 그가 제발 따라오지 말고 거기 있으라는 듯, 연이 붙잡은 손을 빼내어 간신히 휘휘 내저었다.

앰뷸런스 사이렌의 꼬리가 사라진 뒤에도 연은 한쪽이 맨발인 채로 어두운 길 끝을 오래 바라보았다. 사랑하는 사람의 목숨이 위태로워도 자신은 응급실에 동행할 수 없는 처지라는 것을 비로소 알게 되었다. 그는 그 순간에도 가정을 더 염려하고 우선시했다. 연은 자신의 연애가 실패했다고 생각했다.

연은 양쪽으로 엇갈린 자신의 팔을 풀고 눈물을 닦았다. 젊은 남녀의 방은 연과 명의 방 사이에 있었다. 문득 연은 옥상 레스토랑에서 이십 년이 지난 얘기를 하면서도 여전히 떳떳지 못한 자신이 새삼 부끄러웠다. 명은 자신이 오래전 떠나온 곳을 이제야 떠나온 사람 같았다.

*

옆방에서 들려오는 소리에 명은 침대 위에서 몸을 뒤척였다. 여자의 신음이 낮고 느리게, 끊어질 듯 이어졌다. 듣지 않으려 해도 온 신경의 초점이 그곳으로 모였다. 사랑에 깊이 빠진 남녀가 만들어내는 호흡이었다. 하나로 포개진 몸은 일정한 간격으로 진동했다.

명은 모로 누워서 베개를 힘껏 끌어안았다. 그리고 사타구니 사이에 그것을 끼우고 힘껏 조였다. 명은 어둠 속에서 깊은 한숨을 내쉬었다. 그녀와 함께 뒤섞여 녹아내리던 순간이 떠올랐다. 고체가 액체가 되고, 피가 데워져 금빛 꿀로 변해 흐르던…….

명은 그녀를 만나고 사람 사이에 이런 소통 방식이 가능하다는 걸 처음 알게 되었다. 그것은 명에게는 무척 낯설기 그지없는, 일차원적인 몸으로의 소통이었다. 이전까지 명은 이성을 대할 때 몸보다는 말이 통하는 사람을 선호했는데, 그녀를 만나면 몸이 말을 했다.

그녀를 만나기 전, 명은 오 년을 사귀고 결혼을 약속한 여자가 있었다. 약혼녀는 MBA 학위를 받기도 전에 투고한 논문이 국제 학술지에 여러 번 실릴 만큼 지적 열망이 대단했다. 술로 정신과 육체를 망치는 부류를 싫어하고 외박이나 여행은 꺼렸다. 약혼녀와 데이트를 하면 명은 자정까지 커피와 차를 마시며 국제사회 이슈와 세계 경제학자들의 담론을 듣다가 혼자 집으로 돌아오는 경우가 많았다. 읽어야 할 도서 목록을 숙제로 받아 오기도 했다.

약혼녀는 명을 흡사 가로등처럼 여겼다. 그녀가 학구적인 열망에 사로잡힐 때면 그는 어둡고 쓸쓸한 구석에서 그저 홀로 빛을 밝혀야 했다. 늘 책과 문서와 모니터에 빠져 지내서 조금만 기다려달라는 말을 입에 달고 살았다. 약혼녀의 말이 더는 들리지 않을 만큼 명은 혼자 보내는 시간에 익숙해졌다. 그리고 이렇게 여백이 넘치는 관계가 결혼 후에도 크게 달라지지 않을 거라고 여겼다.

반면에 명은 그녀와 심각한 이야기는 주고받지 않았다. 그녀를 만나면 마음이 편하고 행동이 자유로웠다. 함께 맛있는 음식을 먹거나 근교로 외유하는 일이 즐거웠다. 무엇보다 그녀는 명을 최고의 글쓰기 강사 혹은 작가로 받들었다. 그녀는 명이 쓴 원고를 읽고 나면 부리나케 달려와 가슴이 벅찬 듯 박수를 쳤다. 어떤 부분이 근사한지 이야기하고 좋은 노래를 들으며 서로를 어루만졌다. 그녀의 손길은 그에게 깊은 위안을 주었다. 그녀 앞에 서면 명은 자신이 진정 원했던 가치 있는 사람이 된 것 같았다. 자신감을 얻은 탓인지 명은 그녀와 사귄 후, 오래 묵은 몇 가지 일들을 보기 좋게 완수해냈다.

모텔방에 들어서면 그녀는 대범해지고 말이 많아졌다. 명의 몸에 코를 들이대고 냄새를 맡으며 머리부터 발끝까지 키스를 퍼부었다. 그녀는 명을 세상에서 가장 멋진 남자로 대했다. 명이 몸 위로 올라가면 그녀는 눈을 감고 뜨겁게 환호했다.

그녀와 명은 다시는 만나지 못할 듯, 그 순간이 마지막인 것처럼 달려들었다. 서로가 애절한 나머지 다음 날 헤어지기 직전까지도 둘의 몸짓은 절박했다. 그녀가 아무것도 바라는 게 없다고 했으므로 명은 약혼녀와 결혼하면 어떤 식이든 이 관계에 마침표가 찍힐 거라 여겼다. 그러나 명도 모르는 사이 그녀는 심장 깊숙이 스며 있었다. 명이 무엇을 어떻게 정리해야 할지 모르는 순간에도 몸과 마음은 서서히 그녀에게 기울었다. 행복한 가운데 불쑥 불안하고 불안한 가운데 한껏 행복한 순간이 이어졌다.

"당신과 있을 때가 제일 행복해. 그 외에 신나는 건 하나도 없어. 나 사랑해?"

섹스가 끝나면 그녀는 꼭 그렇게 물었다. 그렇다고 대답하는 순간마다 명은 약혼녀가 떠올랐다. 약혼녀와의 관계는 어찌 풀어야 할지 모를 정도로 머릿속이 복잡하게 엉켜들었다. 동시에 그녀가 묻는 횟수는 점점 잦아졌다. 그녀는 며칠에 한 번씩 꼬박꼬박, 전화면 전화, 문자면 문자, 함께 있으면 함께 있는 대로 같은 질문을 집요하게 물었다.

"나만 사랑하면 안 돼? 난 당신 곁에 남고 싶은데, 나를 곧 버리겠지?"

명은 명쾌한 대답을 줄 수가 없었다. 육 개월이 지나자 애원조였던 그녀의 태도가 공격적으로 돌변했다. 파혼 요구는 전쟁과 다름없었다.

"당신은 돌아가면 그만이지. 나는 돌아갈 데가 없어. 당신은 평온하지. 내게는 지옥이야."

그녀는 불손하고 불안정하며 직설적으로 명에게 매달렸다. 한밤중에도 수십 통의 문자가 날아들었다. 어떤 답신이나 설득도 무용지물이었다. 만나서 대화를 시도하면 눈물부터 흘렸다. 상대를 미치게 만드는 울음이었다.

"당신 나를 생각 없이 만난 거야? 내가 그렇게 하찮아?"

명은 구석에 몰리고 몰리면 간신히 항변했다.

"나는 계획표 없이 일을 시작하지 않는 사람이야. 오늘 해야 할 일의 순서를 전날 밤에 짜지 않으면 잠도 못 자. 생각 없이 만났냐고? 맞아, 그런 내가 어떤 일이 벌어질지 생각조차 할 수 없이 너를 만났어."

"그따위 말 집어치워! 당신 없으면 아무 의미 없어!"

아무것도 바라는 게 없다는 말은 어떤 이에게 모든 걸 바란다는 말과 동의어였다. 명은 약혼녀에게 돌아가거나 그녀에게 남아야 하는 결단을 내려야 했다. 어느 한쪽을 반드시 잃어야만 해결될 문제였다. 그녀와는 곧잘 티격태격했지만 거의 매일을 함께했다. 시간이 지날수록 결국 파혼을 생각하게 됐다.

벽 너머에서 들리는 여자의 신음이 높아지고 빨라졌다. 침대의 삐걱거림이 점점 거세졌다. 절정에 도달한 여자는 주변의 모든 것을 잊어버린 듯했다. 기쁨의 비명과 동시에 숨이 넘어가는 소리가 들렸다.

파혼을 하고 그녀와 잠자리에 누웠을 때, 명이 물었다. 파혼전 관계 시에는 그녀의 소리와 동작이 더 적극적이었다. 파혼후에는 명의 신음과 반응이 훨씬 컸다.

"요즘 무슨 일 있어? 좀 달라진 것 같아."

"사실 좀 겁이 나. 이제 당신이 온전히 내 것인 줄 알았는데……."

"겁이 나다니, 뭐가?"

"누군가 나처럼 사랑한다고 매달리면 당신은 또 떠나지 않을까?"

명은 잠시 그녀를 말없이 들여다보았다. 이런 일이 벌어진 까닭은 그녀가 절실히 요구했기 때문이고 요구를 들어주는 것이 사랑을 증명하는 길이었기 때문이다. 그런데 그렇게 했기 때문에 그녀를 상대로 같은 일이 벌어진다는 건 억측이었다.

"정신 건강을 위해 지나친 상상은 삼갑시다. 그건 너를 위해서 일어난 일이잖아."

그녀의 목소리 톤이 한 단계 높아졌다.

"또 그러지 말란 법이 없잖아? 약혼녀를 버린 사람을 어떻게 믿어?"

파혼을 감당하며 그녀를 선택한 명은 이상하게 죄인이 되었고 어찌할 수 없는 약자가 되었다. 사랑을 증명하기 위해서는 그녀의 또 다른 요구를 들어줄 수밖에 없었다. 그녀가 밥을 먹던 숟가락을 테이블에 던지며 심장을 빼내어보라고 하면 당장 옷섶을 열고 시늉이라도 해야 했다. 명은 그녀의 그런 의심을 견디지 못했고 그녀 또한 명의 불확실성을 견디지 못했다. 명은 그때 처음, 관계란 스스로 어찌할 수 없는 것들을 인정하는 작업이라는 것을 알았다.

그녀는 명을 전처럼 그리워하거나 애달파하지 않았다. 마치 약혼녀가 두 사람 사이의 연결고리였던 것처럼, 고리가 떨어지자 둘 사이는 벌어지고 말았다. 명은 그녀의 자기중심적인 태도에 실망한 나머지 연락을 끊었다. 그녀는 전처럼 수십 건의 메시지나 통화 시도를 하지 않았다. 관계가 끊어지는 건 시간문제였다. 바깥에 가자는 그녀의 제안은 그때 나왔다. 명은 그 제안을 새 출발을 하자는 화해로 받아들였다.

명은 베개를 끌어당겨 얼굴을 덮고는 뒤척거렸다. 마음보다 몸이 더 그녀를 그리워했다. 젊은 커플의 방은 명과 연의 방 사이에 있었다. 문득 명은 옥상 레스토랑에서 파혼을 숨기

려 했던 스스로에게 부끄러움을 느꼈다. 자신이 떠나온 곳을
연은 이미 오래전에 떠나온 사람 같았다.

*

희와 최는 아침 식사를 하러 옥상 식당으로 올라갔다. 맑은
햇살 아래로 열대 활엽수의 넓고 푸른 잎들이 너울거렸다. 스
피커에서 들리는 경전 읽는 소리가 이제는 익숙했다. 두 사람
은 서빙하는 청년에게 "밍글라바" 하고 인사를 한 뒤 달걀프
라이를 주문했다.

바삭하게 구운 토스트와 뜨거운 미얀마커피, 단내가 풍기
는 열대과일 샐러드를 앞에 두고 두 사람은 마주 앉았다. 희는
달걀프라이를 보고 포크질을 머뭇거렸다. 일그러지거나 탄 데
가 한 곳도 없이 프라이는 노른자와 흰자를 그려 넣은 듯 완벽
하게 둥글었다. 참기름을 살짝 뿌려서 향이 고소했다.

평소보다 일찍 나온 탓인지 레스토랑에는 아무도 없었다.
희는 명이 자주 앉던 식탁 쪽으로 고개를 돌렸다. 술병은 치워
져 있었지만 유리 등피 안에 바닥까지 녹은 초가 보였다. 오늘
이 미얀마에서 보내는 마지막 날이었다.

출장 업무와 여행의 피로가 겹친 탓에 최는 약간 지쳐 보였
다. 잠자리에서 일어나자마자 전화 연락을 여기저기 주고받

고는 입을 꾹 다물었다. 말없이 음식을 먹는 최에게 희는 어떤 말을 건네야 할지 몰랐다.

"마차가 왔습니다."

프런트를 지키는 청년이 올라와서 알리자 두 사람은 마시던 커피 잔을 내려놓았다. 최가 자리에서 벌떡 일어나더니 몸을 홱 돌려서 성큼성큼 옥상을 내려갔다. 희는 서둘러 자리에서 일어나 그를 따라갔다.

마차는 사인용이 아닌 이인용이었다. 최가 먼저 마부 옆자리에 올라타자 희는 뒤에 앉았다. 자리 구조상 둘은 서로 등을 돌리고 앉을 수밖에 없었다. 희는 왠지 서운하고 어딘가 허전했다.

마부의 채찍 소리와 함께 바퀴가 굴러갔다. 해가 뜨자 밀려드는 열기로 봐서 굉장히 더운 하루로 짐작됐다. 최는 앞에서 다가오는 길을 보았으나 희는 뒤에서 지나간 길을 보았다. 희는 간혹 고개를 돌려 최의 크고 단단한 등을 보았다. 뒷좌석에 나란히 앉던 그가 왜 혼자 앞좌석에 앉았는지 그 등에 대고 물을 수가 없었다.

바간-차욱 로드를 달려 구바욱지 사원을 지날 무렵 최는 전화를 받았다. 현지 협력 여행사로부터 걸려온 것이었다. 최 측에서 제시한 것보다 현지 담당자는 무리한 조건을 요구했다. 일이 쉽지 않은 방향으로 돌아갔으나 아직은 조정이 가능하다고 여겼다. 최는 본사에 전화를 걸어 저들의 요구 사항을 보고했다.

"아, 좋다! 어마어마하다!"

전화를 끊은 최는 기분 전환을 위해 감탄사를 내뱉었다. 마지막 날의 여행을 망칠 수는 없었다. 마차는 거대한 피라미드 모양의 사원 앞에서 멈췄다. 바간에서 이 사원이 보이지 않는 곳이 없을 정도로 위용이 넘쳤다.

희는 영어 안내판으로 걸어갔다. 담마얀지는 바간에서 가장 웅장하고 정교하지만 미완의 사원이었다. 부모 형제와 아내까지 죽여가며 왕좌를 차지한 나라뚜 왕이 자신의 죄를 참회하기 위해 건설한 탑으로 왕은 벽돌을 틈 없이 완벽하게 쌓지 않으면 벽돌공의 팔을 잘랐다는 설명이 보였다.

인생은 예기치 못한 이유로 틈이 벌어지고 그 균열로 구조물 전체가 깨질 수도 있는데, 왕은 대체 무슨 꿈을 꾼 것인지……. 그러나 곧 희는 벽돌 사이에 바늘 하나 꽂을 틈 없이 완벽함을 지향한 그의 의지만은 대단하다고 여겼다. 나라뚜 왕은 결국 장인(丈人)이 보낸, 승려로 위장한 자객에게 암살당했다.

희는 혼잣말로 중얼거렸다.

"불완전한 인간의 완전한 꿈 그리고 가장 거대한 미완……."

희는 '꿈'을 '사랑'으로 바꾸어 중얼거리다가 이내 고개를 저었다. 안내판을 사진으로 남기려고 가방 안을 손으로 더듬던 희는 깜짝 놀라서 최를 향해 소리쳤다.

"어머, 어떡해? 오빠, 나 카메라를 두고 왔어!"

"어디에, 마차에?"

"아니, 아무래도 옥상 레스토랑인 거 같아."

희는 뜨거운 물을 뒤집어쓴 듯 얼굴에 열기가 몰려들었다. 그러나 더 당혹스러운 건 최의 눈빛이었다. 그는 괜찮다고 희를 위로하거나 덤벙댄다고 힐난하지도 않았다. 말없이 자신을 빤히 쳐다보는 시간이 상당히 길어서 희는 카메라를 분실한 일보다 최의 시선에 기분이 더 언짢았다.

최는 느린 동작으로 게스트 하우스에 전화를 걸어서 카메라를 레스토랑에 두고 왔으니 찾아봐줄 것을 부탁했다. 그리고 분실물이 들어오면 프런트에 보관해달라고 덧붙였다. 통화를 마치고 최는 혼자서 담마얀지 안으로 걸어 들어갔다. 희는 힘없는 걸음으로 최의 뒷모습을 보며 터벅터벅 따라갔다.

*

연이 옥상에서 내려다봤을 때, 최와 희는 마차에 오르고 있었다. 최가 먼저 마부석 옆으로 오르자 희는 머뭇거리더니 뒷자리에 올라탔다. 커플은 금방 레스토랑에서 나간 듯 테이블에는 음식 접시와 커피 잔이 그대로였다. 옆 의자에 디지털카메라가 보였다. 명은 보이지 않았다.

연이 아침을 거의 다 먹을 무렵, 프런트의 직원이 올라와 택시가 대기하고 있다고 알렸다. 연은 가방을 챙겨서 내려가 쪼우쪼우와 인사를 했다. 연은 더는 특별히 가고 싶은 곳이 없으므로 일정을 쪼우쪼우에게 맡겼다. 고개를 끄덕인 그는 차를 몰아서 그녀를 아난다 사원 입구에 데려다 놓았다.

석가모니를 이십 년간 가까이서 모신 시자(侍者), 아난다를 기리는 사원이라는 안내판을 읽는 중에 쪼우쪼우가 다가왔다. 꿍야를 씹는지 한쪽 볼이 불룩했다. 그는 이곳이 바간에서 가장 아름다운 사원이며 자신이 가장 좋아하는 사원이라고 했다.

"아난다 스님 좋아해요? 저는 참 좋아하는데."

쪼우쪼우의 말투는 이천오백 년 전의 아난다를 마치 옆집 사는 선생님처럼 여기는 것 같았다. 그의 느닷없는 질문에 연은 그저 웃으며 고개를 저었다. 쪼우쪼우는 말을 이었다.

"아난다는 석가모니의 말씀을 가장 많이 듣고 기억한 제자예요. 그런데 석가가 이 세상을 떠날 때 애제자 중에서 아난다만 깨달음을 얻지 못해요."

연은 사원을 향해 천천히 걸음을 옮겼다. 천 년 전에 지어진 사원은 웅장함과 정교함이 동시에 느껴졌다. 금을 입힌 첨탑은 햇빛을 금빛으로 반사했다. 소형 버스에서 내린 참배객들이 합장을 하며 줄지어 입구로 들어갔다.

"참 이상하죠? 석가의 설법을 들은 여승도 깨닫고 똥지게 꾼도 깨닫고 심지어 살인마도 깨닫는데, 수십 년을 석가 곁에서 그림자처럼 지낸 아난다는 아라한이 되지 못해요. 왜 그런지 알아요?"

연은 두 눈의 시력을 모으며 고개를 저었다. 아라한은 수행자들이 도달하는 최고의 경지였다. 바간에서 가장 조형미가 뛰어난 사원에 그토록 늦되고 미욱한 제자의 이름을 붙였다는 게 신기했다. 꽁야를 씹는 쪼우쪼우의 치아와 잇몸이 빨갛게 물들어서 괴상하게 보였다.

"어떤 사람은 이걸 너무 써서 그렇다고 말해요."

쪼우쪼우는 검지 끝으로 자신의 머리통을 두드리다가 길가의 수풀에 침을 뱉었다. 마치 핏덩이를 뱉는 것 같았다.

"그러니까 아난다는 한 번 들은 건 잊지 않을 정도로 똑똑하고 이것저것 너무 많이 알아서 깨달음이 늦었다고요……. 그런데 그렇지 않아요."

쪼우쪼우는 두 손을 가슴 앞에 모으며 말을 이었다.

"그거 아세요? 아난다는 스스로 아라한이 되기를 원치 않은 거예요."

걸음을 멈춘 연은 어리둥절한 얼굴로 물었다.

"왜, 그걸 왜 원하지 않았나요?"

"석가 옆에 남고 싶었던 거죠. 아라한이 되면 시자로 남을 수 없으니까 그렇게 빌었던 거죠. 석가가 죽은 후에야 그는 크게 깨닫게 되죠. 멋있죠?"

연은 두 손을 모으고 그에게 "제주민 바데"라고 말하며 고개를 약간 숙였다. 갑자기 세게 얻어맞은 듯 코끝이 찡했다. 연은 그대로 고개를 숙인 채 신을 벗고 사원 안으로 들어갔다.

연은 동서남북 사방을 면한 부처를 차례차례로 마주했다. 사원은 불상과 가까운 곳에서부터 멀리까지 동심원처럼 세 개의 통로로 이어져 있는데 거리에 따라 불상의 표정이 달라 보였다. 왕이 다니던 통로에서 보면 엄격한 얼굴이지만 귀족과 승려가 이용하던 중간 통로에서는 차분한 모습이었다. 서민들이 다니던 바깥쪽 통로에서는 자애로워 보였다.

남쪽을 향한 불상 앞에서 연은 발걸음을 멈췄다. 황금 연화대 위의 거대한 입상은 둥근 천장 아래 은은한 금빛을 내뿜었다. 수인(手印)은 두 손의 양 엄지와 검지의 끝을 서로 엇갈려 붙여 원을 이룬 형태였다.

연은 머리 위에서 합장하고 몸을 엎드려 삼배를 올렸다. 그리고 조심스레 걸어가서 준비한 금닢을 연화대에 붙였다. 다시 자리로 돌아온 연은 무릎을 꿇고 이마를 바닥에 대어 기도했다. 땀이 이마에서 흘러내렸다.

'이제는 그가 부디 평안하기를…… 다음 생에도 그를 어김

없이 알아채기를……'

같은 기도문을 수십 번 반복하던 연은 자리에서 일어났다. 이마에 땀이 돋으며 약간의 어지럼증이 일었다. 문득 뒤를 돌아보자 햇빛을 받은 창살의 기하하적인 무늬가 타일 바닥에 아름다운 문양으로 어룽지고 있었다. 빛과 그림자로 만든 꽃밭이었다.

연은 손수건으로 이마의 땀을 닦고 눈가를 찍어내며 사원을 나왔다. 아직도 이 나이에 이토록 간절한 게 남아 있어서 다행이었다. 그 간절함이 다른 게 아니라 사랑이어서 그나마 다행이었다.

대기한 택시에 오르자 쪼우쪼우는 시동을 걸었다. 다음 행선지는 이미 결정된 듯했다. 그는 주차장을 한 바퀴 둥글게 돌고는 도로로 들어서며 말했다.

"고고학 박물관으로 이동할게요."

*

오후 세 시가 지나도 한낮의 열기는 후끈했다. 뙤약볕 아래에서 자전거 페달을 밟는 명의 등줄기로 땀방울이 주르륵 흘러내렸다. 셔츠는 이미 축축이 젖어서 살갗에 눌러 붙었다. 현지인들의 오토바이가 옆으로 쏜살같이 지나갈 때마다 모래먼지가 뽀얗게 피어나 시야를 가렸다.

명이 바간에 들어온 지 사흘이 되도록 그녀는 나타나지 않았다. 그녀와 함께할 줄 알았던 사흘을 그는 오로지 기다림으로 채웠다. 둘의 관계 회복을 위한 여행이 혼자만의 이별 여행이 된 셈이었다. 명은 그녀가 오지 않은 이유를 헤아릴 수 없다는 게 더 괴로웠다.

천 년 전 쌓아 올린 탑들은 어둡고 견고했다. 탑은 중세의 성당처럼 화려한 것부터 시골 교회처럼 소박한 것까지 그 규모가 다양했다. 명은 탑을 방문하면 신을 벗고 맨발로 들어가 불상 앞에서 꼬박꼬박 삼배를 올렸다. 그렇게 엎드려 무릎을 꿇고 이마를 조아리면 슬픔이 가셨다. 차가운 대리석 바닥은 지난 천 년 동안 이곳에서 몸을 낮춘 참배객들의 무릎과 이마로 닳아 있었다.

명은 그녀가 가고 싶어 한 쉐지곤 파고다는 가지 않았다. 자전거로 가기에 거리가 멀기도 하지만, 그곳에 가고 싶다던 그녀가 없기 때문에 가야 할 이유가 없었다. 그곳의 '럭키 붓다'에게 행운을 달라고 빌고 싶은 마음도 들지 않았다. 탑은 2500개가 넘으니 가야 할 곳은 많았다.

올드바간으로 향하는 이차선 너비의 도로를 타고 명은 사라바 게이트를 통과했다. 천이백 년 전 진흙벽돌로 쌓아 올린 성은 형태가 거의 사라졌으나 흔적만으로도 과거의 성대한 규모가 충분히 짐작됐다. 명은 쉐구지 파고다 앞에서 자전거 페달을 멈췄다.

명이 탑돌이를 하며 발견한 것은 사원의 독특한 건축양식이나 그곳에 얽힌 신비한 사연이 아니었다. 바로 울고 있는 자신이었다. 서른다섯 살의 명은 멀쩡한 듯 보였지만 속으로는 흐느꼈다.

명은 약혼녀 대신 그녀를 선택하는 것이 잘못된 판단이 될까 봐 두려웠다. 하나를 잃고 다른 하나를 취하는 일이 아니라, 하나를 잃는 순간 모든 것을 잃게 될지도 몰랐다. 두려워하던 일이 결국 이렇게 되자 어찌할 줄 모르는 아이처럼 눈물이 터졌던 것이다.

심지어 잃을 것을 각오하고 선택한 그녀에게 버림받은 기분은 비참했다. 한 번 칼에 베여 생긴 상처에 또 다른 칼날이 차갑게 비집고 들어오는 통증 같았다. 그 통증은 두 여인의 상실에서 온 것이라기보다 스스로의 책망이 만들어낸 것이었다. 우정도 잃고 사랑도 잃고 늪 가운데서 갈 곳이 없는 악어의 처지였다.

신발을 벗고 맨발로 뜨거운 사원의 바닥을 디뎠다. 중앙에 모신 금빛 본존불은 높고 크고 환했다. 명은 몸을 납작 엎드려 이마를 바닥에 댔다. 그렇게 세 번 절을 올리고 그녀를 위해 기도했다. 무엇보다 그녀가 부디 행복하고 자유롭기를, 자신이 더는 원망의 마음을 갖지 않도록 바랐다. 제단에 바쳐진 치자꽃 다발에서 풍겨 나오는 향기를 깊이 들이마셨다.

자리에서 일어난 명은 천장이 아치 형태인 복도를 걸었다. 한낮에도 어둑어둑한 사원에는 아무도 없었다. 바깥쪽은 자연광과 바람이 들어오도록 벽창(壁窓)을 내고 안쪽은 장식을 위해 벽면을 오목하게 파서 벽감(壁龕)을 조성한 구조였다. 몇 걸음마다 놓인 벽감에는 어른 몸통만 한 불상이 안치되어 있었다.

돌연 명은 한 불상 앞에서 발길을 멈췄다. 오른 손바닥은 환하게 펼쳐 앞을 향하고 왼 손바닥은 하늘을 가리키고 있었다. 두려움 없이 살고 평정을 가지라는 수인이었다. 빛이 바래고 먼지가 앉은 채 천 년 동안 그 자리에서 이 어둠을 지킨 부처의 얼굴은 경이로울 만큼 담담했다.

명은 지갑에서 금닢을 꺼내어 부처의 발등에 공손히 붙였다. 그러고는 복도 바닥에 무릎을 꿇고 삼배를 올렸다. 몸을 낮추고 머리를 조아린 채 기도했다.

'부디 그녀에게 자유와 행복을……. 더는 울지 않게.'

부처에게 드리는 기도인지, 스스로에게 건네는 다짐인지, 그는 이마를 바닥에 대고 속으로 크게 외쳤다. 한 사람을 잊기 위해서 얼마만큼의 시간이 걸릴지 알 수 없었다.

"이 불상 아름답죠? 아난다 사원의 본존불과 같은 형상이에요.”

자리에서 일어나 합장을 풀었을 때, 현지인 청년이 다가와서 명에게 영어로 말을 걸었다. 그의 친근하고 환한 얼굴에 명은 고개를 끄덕였다.

“그런데 이거 가짜예요. 금닢은 저쪽 불상에 붙이는 게 나아요.”

믿을 수가 없었다. 불상은 천 년의 세월이 흐른 듯 빛이 바래고 먼지와 때가 낀 모습이었다. 명은 잘못 들은 듯 청년의 두 눈을 뚫어지게 바라보았다. 청년은 손목을 구부려 부처의 아랫배를 아무렇지도 않게 노크하듯 두드렸다. 속이 텅 빈 플라스틱이 울리는 소리가 났다.

“도굴꾼들이 자주 들어서 진짜는 박물관에 보관하고 여기엔 복제품을 놓은 거예요.”

순간 명은 청년의 멱살을 쥐고 벽에 밀어붙인 뒤 욕을 퍼붓고 싶은 충동이 들었다. 당혹스러움을 숨기려고 숨을 몰아쉬며 시선을 돌리자, 벽창으로 들어오는 건너편 탑들의 풍경이 너무 환하고 평화로워 보였다. 청년은 이층으로 올라가면 건너편 탑의 정면을 볼 수 있다고 했다.

“바간의 탑들 중에서 가장 높은 탓빈뉴 파고다를 한눈에 볼 수 있어요.”

원하면 자신이 안내하겠다는 말도 덧붙였다. 명은 가장 높은 탑과 가장 아름다운 탑과 가장 오래된 탑들에는 관심이 없었다. 명이 손을 들어 사양하자 청년은 손바닥을 펼쳐 보였다. 붉은 루비 서너 개가 보였다.

명은 청년을 따라서 보석을 파는 곳에 들렀다. 유리 진열장을 서성이며 명은 미얀마산 루비로 만든 목걸이 앞에서 가장 많은 시간을 보냈다. 그녀의 행복을 빌며 잊겠다고 다짐했지만 손은 어느새 그녀의 취향에 맞을 만한 것을 고르고 또 골랐다.

선뜻 결정을 내리지 못하고 물건과 가격을 세심히 살피는 명에게 보석상 여주인이 다가왔다. 그녀는 미얀마 여인치고는 드물게 몸집이 뚱뚱했다.

"애인에게 줄 건가요?"

명은 간신히 웃으며 고개를 끄덕였다. 그녀가 오늘 밤에라도 찾아온다면 그것을 목에 걸어주고 싶었다. 명은 붉은 계열의 루비 중에서 색감이 독특한 것을 손에 쥐었다.

"이건 퍼머넌트 레드예요. 전에는 피존 블러드를 최고로 쳤는데, 젊은 사람들에겐 이게 더 인기예요."

명은 '퍼머넌트 레드'를 중얼거리며 고개를 끄덕였다.

"안목이 좋네요. 누군지 모르겠지만 오늘 밤 엄청 행복하겠어요!"

명은 지갑에서 고액권 지폐 여러 장을 빼서 건네고 목걸이를 소중히 가방에 넣은 채 그곳을 나왔다.

*

    해 지기 전, 연은 부파야 옆의 선착장에서 밧줄에 묶인 배들
을 망연히 바라보았다. 배들은 흘러가지 못하고 물살의 방향
으로 다만 몸이 꺾여 있었다. 연은 영원히 붙들려서 떠나지 못
하는 배만큼 서글픈 건 없다고 중얼거렸다. 그리고 그중에 하
나를 골라서 혼자 올라탔다.

    모터 소리를 내며 보트는 강의 저편으로 나아갔다. 강의 질
감과 물 주름은 어제보다 조밀하고 섬세했다. 히말라야산맥
의 남단에서 시작하여 안다만해에 이르기까지 이 땅과 하늘
의 모든 것을 품고 담아서 흐르는 강이었다. 연은 이 강이 어
쩌면 미얀마에서 자신이 본 가장 큰 책이라고 생각했다.

    연은 가방에서 꺼낸 디지털카메라의 버튼을 눌렀다. 저장
된 사진들을 한 장씩 넘기니 젊은 남녀의 싱그럽고 사랑스러
운 모습이 지나갔다. 이마를 맞대고 찍은 것, 탑을 배경으로
남녀가 꼭 끌어안고 찍은 것……. 서로 입을 맞추는 장면은 어
떻게 찍었을까, 하는 생각이 들었다.

    레스토랑에서 커플이 놓고 간 카메라를 발견했을 때, 연은
처음에 자신이 담긴 단체사진만 지우려 했다. 그들에게 자신
의 모습이 남는 것이 싫었다. 연락처를 교환하고 메일로 사진
을 주고받고 뒤풀이를 핑계로 한국에서 재회하여 먹고 마시

는 건 더욱 싫었다.

자신의 모습을 찾다 보니 사진을 검색하게 되었고 자신이 찍힌 모습을 지우다 보니 상당수의 사진을 지우고 말았다. 좁은 보트 안이라서 프레임에 자신이 포함된 사진이 많았던 것이다. 최와 희에게 어차피 연과 명은 풍경일 수밖에 없었다. 풍경이 렌즈를 거부할 수 없는 노릇이어서 그 순간 연은 응할 수밖에 없었다. 어쩌다 보니 볼 필요가 없는 그들 둘만의 동영상에까지 눈이 갔다. 아름다운 추억으로 남을 수도 있지만 머지 않아 삭제될 파일이 될지도 몰랐다.

보트가 강의 한가운데에 이르자 키를 조정하던 청년은 모터를 껐다. 강물은 뱃전에서 갈라져 배의 옆구리를 조용히 핥으며 미끄러졌다. 바람이 서늘해지자 해가 눕고 보라색 구름이 몰려들었다. 배는 요람처럼 잔잔히 흔들리며 일몰의 고요 속에서 떠내려갔다.

진흙 빛깔의 물비늘은 쉬지 않고 몸을 뒤척였다. 이렇게 쉬지 않고 몸살을 앓는 것이 살아 있다는 뜻일까. 연은 중간에 들른 고고학 박물관의 유물 해설사에게 들은 말을 떠올렸다.

"군부독재 칠십여 년간 미얀마에서는 고고학 연구를 중단시켰어요. 유적은 고스란히 남았지만 이를 연구하고 해석한 기록을 찾아보기 힘들어요. 탑 속에서 10세기 비문을 찾아내도 당시 언어를 제대로 읽을 줄 아는 학자들이 없어요."

천 년이 넘도록 땅속에 박혀 축축하게 젖어 있다가 햇빛 아래로 끌어 올려진 비석. 그저 덩그러니 갖다 놓은 10세기의 돌덩이 앞에서 연은 느닷없이 눈물이 차올랐다. 기억에는 고스란히 있지만 누구에게도 말하지 못한, 어떤 의견이나 해석이 전무한 자신의 처지와 흡사했다. 연은 자신의 기억의 탑 속에 남은 글자 또한 그 누구도 읽어내지 못할 거라 여겼다.

연은 당장 처리할 수 없는 음식을 냉동고에 넣고 닫아버리듯 탑의 뚜껑을 열고 그와의 기억을 봉인했다. 그러나 젊은 커플과 명을 보고는 사랑의 기쁨과 아픔이 되살아나며 그때의 가슴앓이 증상이 도지고 말았다.

연이 선명히 기억하는 건 그가 미얀마행 티켓을 내밀고 결국 들것에 실려 사이렌 소리를 남기고 사라지던 밤, 고통스럽고 절박했던 그의 손짓뿐이었다. 이 한 장면은 그에 대해 그녀가 쌓아온 결심들을 삽시간에 증발시켰다. 연은 자신의 이야기를 어떻게 정리할지 모르는 혼란 속에서 다만 벗어나기 위해 시간을 유예했다.

연은 지난밤 명에게 이야기했듯, 그를 가질 수 있다는 걸 알고서 버린 게 아니었다. 가질 수 있음에도 갖지 않는다는 건 연에게 선택권이 있다는 뜻이었다. 그러나 사랑은 소유할 수 없기에 연은 아무것도 선택할 수 없었다.

다만 연은 그가 불행해질까 봐 두려웠다. 그를 떠받치는 '가정'이라는 기둥을 무너뜨리고 그가 스스로를 온전히 지탱할지 확신이 서지 않았다. 연의 눈이 닿는 곳에는 오직 그밖에 보이지 않았다. 그러나 시야에 보이지 않지만 그의 큰 부분을 차지하는 감춰진 데를 생각하자 연은 그를 망가지게 해서는 안 된다고 다짐했다.

"당신을 좀 더 견뎌야 했을까요. 시자로 곁에 남은 아난다처럼……. 어떡해서든 곁에 남는 용기를 냈어야 했을까요."

연은 강물을 보며 혼잣말을 했다. 이제 사랑한 사람은 없고 사랑했던 자신만 오래 남아서 나이를 먹고 말았다. 몸을 깊이 담그기도 전에 흘러가버린 강물, 내가 힘껏 품으로 들이기 전에 그리움만 쌓다가 사라진 사람…….

당시에는 그에 대한 원망을 희망으로 바꿀 만한 근거가 없었다. 단지 보고 싶을 때마다 서럽고 그 서러움을 더는 지속하기 힘들었으므로 바간행 티켓을 찢었던 것이다.

"이제 돌아가야 해요. 모터를 더는 꺼둘 수가 없어요. 돌아가지 않으면 배가 다른 곳으로 흘러갑니다."

보트의 후미에 있던 청년이 서너 걸음 앞까지 다가오더니 말했다. 혼자 탑승한 어두운 낯빛의 여성이 무슨 짓을 벌일까봐 겁을 집어먹은 표정이었다. 강물에서 눈을 떼고 연은 고개를 끄덕였다. 보트 뒤로 간 청년은 스크루 모터를 조작하며 크게 소리를 쳤다.

"그럼 돌아갑니다!"

뱃머리는 크게 포물선을 그리며 떠나온 곳을 향해 천천히 나아갔다. 하늘에는 온통 붉은 노을이 깔리고 보트는 진청색 물살을 갈랐다. 강 저편에서 고깃배와 유람선이 서로 엇갈려 지나갔다.

이십 년 전 가슴의 뜨거운 명령을 받아서 한 일을 이제 와서 어찌 머리로 정돈할 수 있을까. 바깥에 갔어도 삶은 생각대로 되지 않았을 게 분명했다. 그는 처음부터 전부를 내려놓고 올 의지가 없었다. 아니, 그도 자신도 전부를 내려놓는다는 게 무슨 뜻인지 몰랐다. 그 사랑은 시작부터 이루어질 수 없다는 전제가 붙어 있었다. 애초에 이루지 못해도 좋다고 여겼으나, 막상 이루지 못하니 그 자리에 상처가 나고 말았다. 연은 강바람에 휘날리는 머리를 쓰다듬으며 체념하듯 고개를 끄덕였다. 사실은 아물지 못하도록 자꾸 손으로 덧내어 곪게 만든 것은 바로 자신이라고.

강의 한가운데를 벗어나서야 연은 후회했다. 사랑이란 고이는 게 아니라 흐르는 것임을 진작 알아야 했다고. 그렇게 비워내고 더 나은 것을 위한 환한 통로여야만 했다. 연은 손에 쥔 카메라를 강물에 던졌다. 퐁당, 하고 일던 물거품은 흔적 없이 사라졌다.

노을은 어느덧 붉고 푸르게 가라앉아 검은 물결과 살을 맞

대고 철썩거렸다. 이제 연에게 그 기억이란 돌아갈 수 없다
는 사실을 확인하는 일에 불과했다. 그러나 다시 돌아간다
면······. 그를 처음 만난 스물여덟 살로 돌아간다면 어떤 선택
을 할까, 스스로에게 물었다.

종잡을 수 없이 불어오는 바람 속에서 이국어로 부르는 사
원의 노래가 가슴을 훑고 지나갔다. 연은 결국 같은 선택을 했
을 것이다. 아니, 그건 선택할 수 있는 게 아니었다. 어두운 강
기슭에서 황금빛을 발하는 부파야가 눈에 들어왔다. 바간에
서 가장 독특한 호리병박 모양의 탑. 오래전 그가 바라보았을
그 등대를 연은 보트가 선착장에 닿을 때까지 물끄러미 바라
보았다.

*

자전거 안장에 오른 명은 쉐산도 파고다로 페달을 밟았다.
날이 저물기도 전에 바간의 마차와 전기자전거 승용차와 대
형 버스 등 온갖 차량들이 그곳으로 모여들었다. 관광객들과
순례자들, 잡상인들로 사원은 북적거렸다. 오층 높이의 기단
위에는 원형 실린더 형태의 탑신이 일몰 직전의 푸른 하늘을
향해 우뚝 서 있었다.

명은 철제 난간을 잡고 맨발로 계단을 디뎠다. 폭이 좁고 경

사가 급해서 고개를 숙이면 윗 계단에 이마가 닿을 정도였다. 오층 기단까지 오르자 다리가 후들거렸다. 밑에서 보는 것보다 훨씬 아찔한 높이였다.

더는 오를 계단이 없는 곳에 닿자 탑의 난간에 사람들이 앉아 있었다. 팔을 뻗으면 허공이었다. 바간을 찾는 방문객들이 첫 번째로 손꼽는 일이 그렇게 허공의 경계에 앉아 어두워지는 사위를 바라보는 일이었다.

수많은 연인들 틈에 섞여 명은 외롭게 일몰을 기다렸다. 눈 아래 보이는 수천 개의 탑이 체스판 위에 놓인 말처럼 보였다. 저 탑의 숫자만큼 알 수 없는 사연이 쌓여 있을 게 분명했다. 해 지는 풍경을 보는 것도 그녀가 계획한 일이어서 명은 그녀를 떠올리는 일을 피할 수가 없었다.

탑 위에서 명은 에야와디강을 건너다보며 생각했다. 사랑은 쌓이는 것이라고. 기쁨과 미움, 슬픔과 환희를 층층이 쌓으면서 견고한 구조물로 남는 것이라고. 무엇보다 함께 쌓는 것이라고. 우리가 여태 쌓아온 것은 무엇일까? 그런데 그녀는 왜 함께 쌓기를 포기한 것일까?

파혼 이후 서로에 대한 요구가 층층이 쌓여갈수록 그녀는 하중을 견디기 어려웠을 것이다. 그녀가 무너진 데에는 자신의 책임이 없다고 할 수는 없었다. 면과 면을 맞춰가며 쌓아야 하는데 어긋난 지점이 너무 많았다. 명은 항상 그녀가 어린애 같고 욕심 많은 사람이라고 생각했는데 자신은 그녀만도 못했다. 애정을 주기보다 받기만 하려는 마음도 끔찍한 욕심이었다.

　그녀는 바간에 와도 우리의 관계가 달라질 게 없을 거라 생각했는지 모른다. 설령 그녀가 왔더라도 우리가 변하지 않는 이상 관계는 서울에서와 같았을 거였다. 만나기로 했으나 만나지 못했고 어쩌면 앞으로도 만나지 못할 그녀에게 묻고 싶은 것이 많았다. 이 빗나간 일로 인해 자신의 항로가 어떤 방향으로 휘어질지 예측이 불가능했다.

　첨탑이 뻗어나간 하늘에 예리하게 잘려나간 손톱 같은 달이 돋았다. 운집한 사람들 탓에 명은 해넘이가 정면으로 보이는 강변 쪽에 자리를 잡지 못하고 그 반대편의 들녘과 마주했다. 무리를 지은 흰 소와 염소 떼가 풀을 뜯고 있었다. 가장 웅장한 사원을 완성하려 했으나 끝내 미완으로 남은 담마얀지 파고다가 보였다.

　명은 가방 속에 손을 넣어 루비 목걸이를 꺼내 들었다. 홍옥의 붉은빛이 매혹적이었다. 퍼머넌트 레드. 그녀와 보냈던 행복했던 시간만을 낱낱이 오려서 모아 녹이면 이런 빛깔일까, 한 사람을 향해 뛰는 심장이 영원히 뜨겁고 붉을 수 있을까? 그녀에게 말해주고 싶었다. 당장 직접 걸어주기는 어렵겠지만 그 마음의 순간들은 모두 진실이었다고, 어쩔 수 없이 내게 벌어진 아름다운 일이었다고, 미완으로 남았지만 또한 무너뜨릴 수 없는 풍경이라고…….

사위가 보랏빛에서 붉은빛으로 바뀌자 에야와디강 쪽으로 앉은 사람들이 환호성을 질렀다. 명은 등 뒤로 환호성을 들으며 들판을 주시했다. 해가 눕자 수천 개의 탑 그림자가 평원 위로 길게 그 뾰족한 키를 늘였다. 굵은 붓으로 바닥에 선을 그은 듯 검게 늘어나는 탑의 그림자를 보며 명은 모든 여행에는 자신도 모르게 준비된 비밀의 목적지가 있다는 말을 기억했다. 이곳이 그곳이었다. 왠지 그녀가 가여워지면서 코끝이 찡했다.

지금 발을 딛고 선 이곳이 이 우주에서 유일한 자신의 자리라면, 크게 빗나간 이 지점을 명은 기록하지 않으면 안 된다고 여겼다. 이 고대도시의 가장 높은 마천루인 쉐산도 파고다는 우주에서 명이 위치한 좌표처럼 여겨졌다. 허공을 향해 치솟은 탑의 오층 기단에서 그를 둘러싼 세상 전체가 주홍빛으로 물들었다. 수천 개의 탑이 일제히 불타오르는 듯 보였다. 이곳에 오자는 것도 그녀의 의지였지만 이곳에 오지 않은 것 또한 그녀의 의지였다. 해가 잠기기 직전, 명은 바닥에서 서로 뒤얽힌 탑의 그림자를 눈에 담고는 눈꺼풀을 질끈 감았다.

*

저물녘 사라바 게이트의 무너진 성벽 사이로 새어 나오는 노란 불빛은 따뜻했다. 진흙을 구워 쌓아 올린 9세기의 성은 동쪽 출입구의 흔적만 겨우 남았으나 그 성대한 기세는 여전했다. 마부가 고삐를 당기자 지친 말은 걸음을 멈췄다. 쉐지곤 파고다에서 출발하여 바간-낭우 로드를 타고 온 마차는 빛이 환한 레스토랑 앞에서 정차했다.

"별이 더 잘 보일 거예요."

마부는 뛰어내리더니 한낮의 햇빛을 가려주던 좌석의 덮개를 접었다. 그리고 손가락으로 하늘을 가리켰다. 뒷좌석에 나란히 앉은 희와 최는 동시에 고개를 뒤로 꺾었다. 바간의 진청색 하늘에 별이 돋고 있었다. 들판에 솟은 수많은 파고다들은 그 윤곽이 희미했으나 첨탑만은 별에 닿을 듯 뚜렷했다. 마부가 휘파람을 불며 회초리로 말 엉덩이를 찰싹 내리치자 발굽 소리가 자박자박 이어졌다.

"음, 좋아, 아주 좋아!"

최가 특유의 굵고 활달한 목소리로 마부에게 엄지를 척 들어 올렸다. 그리고 입을 크게 벌려 웃고는 정말 좋지 않느냐는 듯 희 쪽으로 고개를 돌렸다. 희는 둥근 챙의 모자를 벗고 긴 머리칼을 귀 뒤로 넘기며 최를 외면했다. 손목에 찬 염주에 머리카락 몇 올이 감겨서 그녀는 인상을 찌푸렸다.

일몰 직전 그들은 쉐지곤 파고다에 들렀다. '럭키 붓다'에게 돈과 음식을 공양하고 둘은 나란히 서서 절을 올렸다. 최는 이

번 출장이 성공적으로 끝나기를 기원하고 희는 굳건한 사랑에 대해 기도했다. 희는 옆자리의 이 남자가 자신을 사랑의 주인공으로 만들어줄 상대이기를 바라며 먼 곳까지 따라왔다고 고백했다.

두 사람은 탑 주위를 정겹게 걸었다. 황금으로 뒤덮인 탑은 해가 질수록 더욱 오묘한 빛을 발했다. 희는 마치 거대한 황금 촛불을 바라보는 기분에 탄성을 질렀다. 진정한 사랑은 이렇게 쌓여서 무너지지 않고 영원히 그 자리를 지키는 것이라 여겨졌다.

지난 닷새 동안의 바간 여행은 어쩌면 이 한 문장을 확인하기 위해서 준비된 것일지도 몰랐다. 사원을 나설 때 긴 회랑의 기념품 가게에서 최는 티크나무로 만든 염주를 샀다. 부처상을 조각할 때 주로 쓰이는 나무라고 했다.

최는 희의 손을 지그시 쥐고는 팔목에 염주를 끼워줬다. 감격한 나머지 희는 최를 끌어안고 입을 맞추고 싶었으나 장소가 사원이라서 그의 손을 한 번 꼭 잡았다. 그러나 마차에 오르기 전 최가 현지 협력 여행사로부터 온 전화를 받은 이후로 희의 심경에는 알 수 없는 파문이 일기 시작했다.

올드바간과 뉴바간을 잇는 이차선 너비의 도로는 일과를 마치고 돌아가는 차량으로 분주했다. 마차에서 조용히 흔들리던 희는 서로 마주 보며 달리는 자전거와 오토바이의 빛줄기들이 공중에서 뒤얽히는 것을 보았다. 여기저기서 불현듯 나타났다 갑자기 포개지고 어느덧 사라지는 빛의 산란에 희는 자주 눈꺼풀을 떨었다. 밤바람이 싸늘해지자 그녀는 누군가의 품에 포근히 안기고 싶었다.

희는 자신도 모르게 심장이 빠르게 뛰는 걸 느끼고 무릎 위의 모자를 한 손으로 꼭 움켜쥐었다. 그리고 다른 손으로는 어깨와 목을 주물렀다. 옆에 앉은 최는 전화 통화 이후로 미간의 주름을 풀지 않았다. 게스트 하우스에 도착하면 최는 옷을 갈아입고 거래처 사람들을 만나러 나갈 것이다. 그런 자리에 가면 새벽까지 술을 마시고 들어온다는 걸 그녀는 알고 있었다. 바간의 마지막 밤이 이런 식으로 끝나는 게 몹시 실망스러웠다. 희는 고개를 최 쪽으로 돌리며 앙다문 입술을 열었다.

"오빠는 그 자리 꼭 가야 하는 거야? 일이 거의 끝났다고 했잖아. 돌아가서 처리하면 안 돼? 꼭 그렇게 모여서 술을 마셔야만 성사되는 일이야?"

최는 자신도 어쩔 수 없다는 듯 볼멘소리로 대답했다.

"그럼 어떡해. 내일 아침 떠나는데. 오늘밤에 시간이 없으니."

"도대체 이게 뭐야? 왜 전화가 왔을 때 술자리를 사양하지 않았어. 우리 마지막 밤이잖아."

희는 언성을 높였다. 게스트 하우스 옥상에서 별을 보며 맥주를 마시기로 한 계획이 틀어진 셈이었다. 오늘 밤 희는 최와의 관계를 결정짓고 확실한 약속을 받고 싶었다.

"오빠 기억도 못 하지? 아침 일찍 우리 해돋이 보러 가기로 했잖아."

"해 뜨는 거야 다 거기서 거기지, 뭐. 매일 뜨는 거. 정 보고 싶으면 혼자라도 보든지."

"혼자? 내가 여기 혼자 온 거야? 제발 우리를 생각하라고!"

희는 사귄 지 이백 일 되는 남녀가 단 며칠간 국외 여행을 함께하는 것에 만족할 수 없었다. 내일 아침 숙취로 해롱대는 최와 다정한 시간을 기대하기는 어려웠다. 희에게는 사랑을 확인할 어떤 순간이 필요했다.

최는 희가 '우리'를 들먹일 때마다 소름이 끼칠 지경이었다. 함께 시간을 못 보내는 건 딱히 자신 탓도 아니고 업무 때문에 어쩔 수 없는 일인데도 자꾸 몰아세우니 무력감이 들고 화가 났다. 왜 그 '우리' 안에는 자신 편인 우리는 없고 그녀 입장의 우리만 있는지 답답할 노릇이었다.

"넌 왜 이걸 이해 못 해? 내가 여기 관광 온 게 아니잖아. 삐칠 걸 삐쳐야지!"

최의 목소리는 희가 어깨를 움찔할 정도로 컸다.

최는 이번 업무가 뜻대로 되지 않을 수도 있다는 두려움을 애써 누르는 중이었다. 이번 출장의 성패는 현지 업체와의 긴

밀한 관계 확인이 좌우했다. 이 지역의 세부 정보와 유관 기관의 커넥션을 그들이 움켜쥐고 있었다. 성사 직전이라 여겼는데, 현지 담당자의 전화 목소리가 그리 밝지 않았다. 작년부터 공을 들인 미얀마 프로젝트가 무산되지 않으려면 오늘 밤 모임이 관건이었다.

희는 두 눈을 똑바로 뜨고 최를 향해 소리를 질렀다. 눈물을 흘리지 않으려고 참는 기색이 역력했고 목소리에는 억울함과 울분이 뒤섞여 있었다.

"고작 이러려고 나를 여기까지 데려온 거야? 함께 온 사람을 이렇게 하찮게 여겨도 되는 거야? 어떻게 나한테 이럴 수 있어? 이거 너무한 거 아니야?"

"하찮게 여기기는? 이 사람, 참!"

끝없이 날아오는 질문 공세에 최는 말문이 턱 막혔다. 희의 업무 방해가 만만치 않았다. 그녀는 오로지 자신에게만 집중하기를 원했다. 한번 화가 나면 도무지 풀리지 않았는데 잔뜩 부은 희의 얼굴은 종일 마음을 언짢게 했다. 별을 보며 맥주를 마시고 해돋이를 보는 일도 중요하지만 지금 그에게는 이 업무의 성공이 더 중요했다. 왜 이 상황을 이해 못 하는지 화가 치밀었다.

마부가 최와 희를 흘끗 보고는 휘파람을 날카롭게 불며 회초리를 휘둘렀다. 그러자 말의 엉덩이가 빠르게 실룩거리며 발굽 소리가 빨라졌다. 마차가 덜컹거릴 때마다 두 사람의 어깨가 불규칙하게 위로 솟구쳤다.

최는 머리를 신경질적으로 긁었다. 어려서 그럴지도 몰라…… 아직 세상을 몰라서 이러는 거야. 혹은 나를 너무 사랑해서 그럴지도……. 최는 화를 참으며 희를 달래려고 낮은 목소리로 다독였다.

"걱정하지 마. 술 조금만 마시고 일찍 들어올게."

희는 고개를 돌리며 차갑게 내뱉었다.

"거짓말!"

이해하려 해도 희는 최의 이런 일방적인 방식을 견디지 못했다. 희는 신경질적으로 손목에 찬 염주를 빼내어 가방에 던져 넣었다. 그것도 길바닥에 던져버리고 싶은 것을 겨우 참은 것이었다.

최는 참아보려 해도 희의 이런 배려 없는 태도를 견딜 수 없었다. 괴성을 지르며 마차에서 뛰어내리고 싶었다. 이제는 될 대로 되라는 심정으로 고개를 돌렸다. 밤바람을 맞은 가로수의 잎사귀들이 일제히 파도 소리를 내며 흔들렸다. 별빛 아래에서 마차는 커다란 바퀴를 굴리며 어둠 속을 달렸다.

별이 휘어지는 속도

저녁 시간이 지난 후라 옥상 레스토랑에는 연과 명 외에 다른 손님은 없었다. 연이 음식을 다 먹고 일어날 즈음 명이 나타났다. 내일 아침 첫 비행기로 바간을 떠나는 연은 지금이 아니면 인사할 시간이 없었다. 명은 주문한 볶음밥을 반도 먹지 않은 채 숟가락을 내려놓았다. 맞은편에 앉은 연이 물었다.

"뭘 하다가 이렇게 늦었어요?"

"자전거를 타고 탑과 탑 사이를 돌았어요. 엎드려 절을 하고……. 돌아와서 방문을 열면서도 혹시나 왔을까, 하는 기대를 못 버렸어요."

연이 보기에 명은 며칠째 잠을 못 이루고 음식을 제대로 못 먹는 듯했다. 뙤약볕 아래서 종일 페달을 밟았는지 까맣게 타버린 얼굴이 애처로웠다.

"힘든 하루였겠네요."

"쉐구지 파고다에서 불상에 금닢을 붙이며 그녀의 행복을 빌었어요. 그리고 왜 오지 않았을까에 대한 답을 찾았어요."

명은 유리잔에 담긴 물을 몇 모금 마셨다. 잔을 내려놓자 연이 물었다.

"이곳에 오기 전엔 어땠어요. 행복했어요?"

불현듯 명은 약혼녀에게 파혼 의사를 밝히던 날이 떠올랐다. 그녀가 연구 프로젝트에 참여한 탓에 육 주 만에 겨우 만난 날이었다. 연구소 앞 카페 문을 열고 들어서는 그녀의 얼굴에서 생기라고는 찾아볼 수 없었고 질끈 묶은 머리카락은 푸석푸석했다. 명은 잘 지냈느냐고 묻다가 짜증을 참을 수가 없었다.

"내가 네게 만나자마자 잘 지냈냐고 묻는 게 어떤 건지 생각해본 적 있어?"

약혼녀는 영문을 모르겠다는 표정이었고 한 손에는 스마트폰을 든 채 날아드는 문자를 확인하느라 시선이 분주했다. 주문한 커피를 거들떠보지도 않을 만큼 온 신경이 일에 가 있는 듯했다.

"나 겨우 나왔어. 엄청 바빠. 용건만 간단히."

그녀의 차갑고 사무적인 반응에 명은 관계를 지속하기 힘들 것 같다는 말을 꺼냈다. 이런 속사정을 밝히려고 만난 건 아니지만, 막상 입을 열자 다른 여자를 만난 후부터 지금까지의 이야기가 막힘없이 이어졌다. 스마트폰을 내려놓고 듣고만 있던 그녀가 입을 열었다.

"걔랑 얼마나 만났는데?"

"일 년 반."

그녀는 자리에서 벌떡 일어섰다. 그리고 핸드백을 열고 손으로 그 안을 한참을 뒤적였다. 테이블에 버리듯 던진 것은 명과 그녀가 행복했던 시절 뺨을 맞대고 활짝 웃는 사진이었다.

"난 삼류 드라마의 주인공은 사양할게."

출입문을 향해 그녀가 큰 걸음으로 걸어갔다. 차라리 가방으로 머리를 내려치거나 멱살을 잡힌 채 욕설을 듣는 게 낫다고 생각됐다. 약혼녀와 함께 보낸 지난 오 년이 무엇이었는지 설명하기 어려웠다. 즐거운 때가 언제이고 어떤 감정으로 약혼까지 했는지 기억이 희미했다.

명은 그길로 일주일 동안 혼자 지내는 쪽을 택했다. 파혼 사실을 모르는 그녀의 걱정 어린 메시지와 부재중 전화 기록이 백 통 넘게 찍혀 있었다. 일주일이 지나서 그녀를 만나 파혼 사실을 전했을 때, 그녀의 얼굴은 잠깐 반짝이다 곧 일그러졌다.

"근데 그게 그렇게 괴로웠어?"

"진정해. 오 년의 관계는 사랑뿐만이 아니야. 왜 그걸 모르니?"

그 말을 듣자 그녀는 견딜 수 없다는 듯 울음을 터뜨리며 소리를 질렀다.

"그래? 그럼 왜 파혼했어? 계속 그대로 가지, 왜!"

명이 예상했던 모습과 상당히 달라서 어찌할 바를 몰랐다. 명은 어쩐지 이 불행이 계속될 것만 같았고, 이것이 받게 될 벌인가 싶었다. 명은 혼자 지낸 일주일 동안 그녀의 품이 그리웠다. 그녀로부터 '많이 힘들었겠다'는 위로의 말을 듣기를 원했다. 자신 곁에 남아줘서 고맙다는 말도 기대했다. 그러나 고성을 지르는 그녀의 기세는 수그러들지 않았다.

"그녀의 마음을 헤아리면 어떤 실마리가 잡히지 않을까요? 할 수 있는 한 그녀의 입장에서 생각하면."

틈을 주고 연이 다시 묻자 명은 고개를 돌려서 밤바람에 너울거리는 코코넛 잎사귀를 보았다. 잠시 아무 말 없던 연의 목소리가 이어졌다.

"안 보이던 게 보이지 않을까요?"

연의 물음과 표정은 명에게 뭔가를 달리 생각하게 만들고 다른 지점을 돌아보게 만들었다. 명은 코코넛 잎사귀에서 테이블의 촛불로 눈길을 옮겼다. 명이 그녀에게 자신의 감정을 털어놓지 못했듯 그녀 또한 명에게 솔직할 수 없었을 게 분명했다. 누구든 먼저 입 밖에 내는 순간 상대가 이 결정이 틀렸다고 생각하게 될까 봐 두려웠던 것이다. 솔직하지 못했기 때문에 서로의 감정이 어긋나고 오해가 쌓였던 걸까. 그 불안을 없애고 다시 행복하게 해달라고 그녀는 바간의 럭키 붓다까지 생각하게 됐을까.

일렁이던 촛불을 보던 명은 고개를 들어 연의 눈을 똑바로 보며 물었다.

"그렇지만 꼭 이런 식이어야 했을까요? 서울에서 말했을 수도 있고, 여행을 마치고 돌아가서 말할 수도 있을 텐데, 왜 이렇게까지……."

연은 명의 눈길을 피하지 않고 마주했다. 그러나 곧 눈빛이 흔들리며 고개를 살짝 떨구었다. 서른 중반의 이 남자가 여자의 마음을 이해할까. 이야기를 해도 왠지 이해하기 힘들 것 같았다.

명은 연의 망설임을 눈치챈 듯 몸을 앞으로 숙이며 말했다.

"무엇이든 괜찮아요. 어떤 얘기든 해주세요. 내일 아침 일찍 떠나시잖아요."

연은 그런 명을 보며 그동안 참았던 말을 꺼냈다. 오늘이 지나면 그를 다시는 못 만날지도 몰랐다. 연의 목소리는 낮고 건조했다.

"비극이 아니고서는 견딜 수 없으니까요."

연은 이십 년 전 그와 헤어져야 한다는 것을 알았지만, 헤어져야만 한다는 사실을 스스로 받아들이기 힘들었다. 스스로 납득할 수 있도록 현실을 비극으로 만들지 않고서는 더는 헤어질 계기를 찾을 수 없었다. 아무렇지 않은 듯 태연히 자신의 사랑에 굿바이를 속삭일 수는 없었다. 연은 비행기표를 찢은 후 장기 휴가를 내고 시골집으로 내려가 외부와 연락을 끊고 지냈다.

충격을 받은 듯 한동안 말이 없던 명이 조심스럽게 입을 뗐다.

"비극이어야…… 한다는 거죠?"

연은 가만히 고개를 끄덕였다. 명이 한 손을 조용히 들며 다시 물었다.

"그러니까 평범하고 일상적인 이별은…… 못 견딘다는 거죠?"

연은 고개를 끄덕이며 자리에서 일어났다. 첫 비행기를 타려면 이제 방으로 돌아가 쉬어야 했다. 연은 의자를 집어넣고 몸을 돌리며 말했다.

"이별의 비극으로 기억되니까요, 사랑은."

명은 레스토랑을 걸어 나가는 연의 뒷모습을 물끄러미 보았다. 극적인 사랑일수록 극적인 이별이 아니고서는 견뎌낼 수 없다는 뜻일까. 그 사랑을 특별히 기억하기 위해서라도 특별한 이별을 준비해야 한다는 말일까.

명은 텅 빈 옥상에 앉아 있다가 자리에서 일어났다. 이곳을 떠나기 전 그녀에게 하고 싶은 말을 남겨야 했다. 지금이 아니면 사라지고 흩어질지도 모를 말이었다. 명은 편지지와 펜을 가지러 방으로 내려갔다.

*

샤워를 마친 희는 침대에 앉아 창밖으로 뒷마당을 보았다. 도톰하고 윤기가 흐르는 남방 식물의 잎사귀들이 가로등 빛을 뽀얗게 반사했다. 능수버들 같은 나무 두 그루의 가지가 서로 얽혀 바람에 흔들렸다. 희는 전에 명이 가르쳐준 '님트리'라는 이름을 기억했다.

그때 복도에서 다가오는 발소리가 들렸다. 옆방 문이 열리고 닫히자 희는 실내를 둘러보았다. 최가 외출 전 급하게 벗어놓은 옷가지와 아무렇게나 늘어놓은 짐들로 어지러웠다.

잠시 후 옆방에서 다시 인기척이 났다. 문이 조용히 열리고 닫혔지만 걸쇠가 미세하게 딸깍거리며 맞물리는 순간 희의 가슴이 두근거렸다. 자리에서 일어난 그녀는 거울 앞에서 머리와 옷매무새를 가다듬고 향수를 조금 뿌렸다. 그리고 냉장고에서 맥주 두 캔을 꺼내어 방을 나왔다.

옥상은 명 외에는 아무도 없었다. 카운터 위에 알전구 하나가 켜져 있을 뿐 모든 조명이 꺼진 상태였다. 빈 테이블과 의자가 늘어선 그곳의 구석 자리에 앉아 그는 뭔가를 쓰는 데 열

중이었다. 유리 등피를 씌운 촛불 탓인지 명의 가슴이 유독 환하게 빛났다. 그 자리는 아침 식사 때마다 바로 희가 앉던 이인용 식탁이었다.

명을 보자마자 희는 심장이 팔딱팔딱 뛰며 주위 공기가 삽시간에 달라졌다는 것을 느꼈다. 카메라 줌으로 당긴 것처럼 명이 눈앞에 크게 다가왔다. 희는 명과의 거리가 순간 반으로 접히며 어느덧 그의 맞은편에 앉아 있는 자신을 발견했다.

"누구한테 쓰는 거예요?"

"아직 오지 않은 사람한테 쓰는 거예요."

명은 고개를 들지 않고 조용히 대답하며 편지를 썼다. 양곤 공항에서 그녀의 마지막 문자를 받은 후부터 명은 여러 곳에서 편지를 썼다. 자전거 페달을 밟으면서도 그녀에게 이야기를 하고, 탑 주위를 거닐면서도 속삭이고, 음식을 씹으면서도 마음속으로 말을 건넸다. 지금 종이에 적는 것은 그가 그녀에게 썼던 수많은 내용 중에서 일부를 추려 옮기는 일에 불과했다.

"지금껏 오지 않은 사람한테 왜 그렇게 긴 편지를 썼어요?"

명은 잠깐 눈을 들어 희를 건너보더니 다시 고개를 숙였다. 그러고는 펜으로 글씨를 새겨 넣으며 느리게 대답했다.

"오지 않으니까 쓰죠. 왔으면 얘기를 했겠죠."

희는 명의 목소리와 말하는 방식이 특이하게 여겨졌다. 특히 희는 명의 담담한 듯 젖은 눈빛이 안쓰러웠다. 하고 싶은 말이 많지만 아직 때가 되지 않아서 속으로만 삭이는 사람의 표정이었다.

명의 가슴 앞에 놓인 세 장의 편지지에는 한 남자의 글씨가 정성스럽고 가지런히 적혀 있었다. 희는 맥주를 마시며 자신이 그 편지의 수신인이 아니라는 게 왠지 화가 나고 서글펐다. 손으로 눌러쓴, 이 세상 오직 한 사람을 향한 그 고백의 주인공이 되지 못한 게 이상하게 억울했다.

희는 최와 사귄 지난 이백 일 동안 단 한 통의 편지나 쪽지를 받아본 일이 없었다. 선물 상자 안에도 작은 카드 한 장 동봉된 적이 없었다. 희가 본 최의 유일한 손글씨는 카드 결제 후에 대충 휘갈기는 서명 정도였다. 희는 한 번도 보지 못한 명의 그녀에게 질투심이 들었다. 당장 손을 뻗어 편지를 빼앗아 읽고 싶었다.

"무슨 말을 썼어요?"

명은 고개를 갸웃하고 뜸을 들이더니 눈을 들지 않은 채 입을 열었다.

"그동안 해야 했지만 하지 못한 말들을 썼어요. 하지 못한 말들을 이제야 하게 되네요."

"만약에 오면 어떻게 할 거예요?"

움직이던 명의 손이 그대로 멈췄다. 그는 고개를 들어 그녀의 얼굴을 보고는 펜을 내려놓았다. 그리고 표정을 숨기려는 듯 두 손바닥에 자신의 얼굴을 파묻었다.

"어떻게 할 거예요? 만약 지금 이 옥상에 나타나면······."

희가 다시 묻자 명은 그 상태로 대답했다. 손바닥에 입술이 눌린 목소리가 새어 나왔다.

"와줘서 고마워. 늦게라도 와줘서 고마워. 너를 정말 엄청 나게 기다렸어."

갑자기 희는 웃음을 터뜨렸다. 명이 얼굴에서 손을 떼어내 자 그의 눈가가 촉촉했다. 희는 화난 연기를 하듯 미간을 찌푸 렸다.

"고맙다뇨? 저라면 안 그래요. 저 같으면 먼저 따귀를 힘껏 때릴 거예요. 네가 뭔데 나를 이렇게 기다리게 만들어, 응! 막 화를 내면서."

"먼 길 온 사람 뺨을 어떻게 때려요? 바간이 무슨 옆 동네도 아니잖아요. 그리고 뺨은 어루만지라고 있는 거 아닌가요."

그 대답에 희는 순간 표정의 균형이 무너지며 피식 웃고 말 았다. 캔을 들어 맥주를 마시는데 자신도 모르게 손이 미세하 게 떨렸다. 근처에서 도마뱀 울음소리가 났다. 허공을 향해 뽀 뽀하듯 입술을 내밀어 오므렸다 폈다 할 때 나는 소리랑 똑같 았다.

"혼자만 드시지 말고 나도 한잔 주세요. 난감한 질문을 계 속 받으니 목이 마르네요."

희는 명에게 캔을 건넸다. 두 사람은 속삭이듯 "아옹민 빠세"라고 말하고는 캔을 기울였다. 희는 차가운 맥주를 목으로 흘려 넣으며 누군가 자신을 낯선 땅에서 이토록 처절히 기다려주기를 원했다. 그리고 엉뚱하게도 '당신이 기다리는 여인이 바로 나'라고 외치고 싶었다. 그런 상상을 하는 동안 희는 심장이 두근거렸다. 체온이 오른 탓인지 희는 붉어진 얼굴로 손부채질을 하며 물었다.

"실연과 시련은 왜 발음이 같을까요?"

"깊은 슬픔이라는 말 있잖아요. 저는 이 말이 늘 기쁜 슬픔으로 발음돼요. 유치하게 들릴지 모르지만, 사랑은 깊은 슬픔이면서 기쁜 슬픔이잖아요."

"맞아요. 저는 간혹 약한 사람이 악한 사람처럼 들리기도 해요."

"반대로 의로운 사람은 외로운 사람이에요. 사라진다와 살아진다도 비슷해요. 혼자 중얼거리죠. 너는 사라진다, 나는 살아진다……."

명은 캔을 쥐고는 맥주를 들이켰다. 그의 목울대가 오르락내리락하는 것을 그녀는 가만히 지켜보았다. 명은 캔을 내려놓고 가만히 말을 이었다.

"그런데 기다리는 줄 뻔히 알면서 오지 않는 사람의 마음은 뭘까요……. 오늘 자전거를 타고 만나는 탑마다 물어봤어요.

사랑이 뭐냐고."

"탑이 뭐라든가요?"

"쌓는 것. 차곡차곡 넘어지지 않게 쌓아서 굳건히 지키는 것. 뭐 그러더라고요."

"재밌네요."

"에야와디강에게도 물었죠. 사랑이 뭐냐고."

"그랬더니요?"

"흐르는 것. 시간과 함께 흘러가는 것. 그러더라고요."

"정말 재밌네요."

명은 비로소 그녀의 눈을 찬찬히 바라봤다. 희는 그의 눈길을 피하지 않았다. 그리고 입술을 동그랗게 모아서 맥주 캔에 갖다 댔다. 그런 대답을 들었으니 이제 어려울 게 없지 않느냐는 듯 말했다.

"앞으로 조용히 흘려보내고 쌓을 일만 남았네요."

그녀의 입술과 턱선, 목과 쇄골에 명이 시선을 두었을 때, 갑자기 촛불이 심하게 흔들리더니 꺼지고 말았다. 초는 바닥까지 녹아버린 상태였다. 빛이 사라지자 명과 희가 떨어져 앉은 간격도 함께 지워졌다. 어딘가 옥상을 밝히는 전등 스위치가 있을 테지만 두 사람은 굳이 그것을 찾으려고 자리에서 일어나지 않았다. 명이 고개를 들어 밤하늘을 보자 희도 고개를 들었다.

"이런, 불이 꺼지자 별이 켜졌네요."

희는 명의 말에 눈을 반짝였다. 바간의 하늘은 낮아서 별이 유독 잘 보였다. 희는 마차를 타고 사라바 게이트를 지나며 했던 생각이 났다. 누군가에게 안기고 싶다는 충동이 들었을 때, 그녀의 머리에 떠오른 사람은 최가 아니었다. 그녀는 명의 품에서 눈을 감은 자신의 영상을 보고는 놀랐던 것이다.

"와, 방금 봤어요!"

명이 자리에서 일어나며 손가락으로 강 쪽의 하늘을 가리켰다. 'X' 자로 엇갈리며 떨어지는 유성이었다. 멀리 떨어진 지점에서 사선을 그으며 곤두박질치던 두 개의 빛줄기가 순간 한 점이 되었다가 다른 방향으로 갈라지며 사라졌다. 유성의 꼬리가 상당히 길었다.

"네, 저도 봤어요. 슈퍼 크로스, 더블 럭키!"

활짝 웃는 두 사람의 눈빛이 어둠 속에서 서로 뒤얽혔다. 키큰 코코넛나무 이파리 사이로 걸러진 바람이 시원하게 불어왔다. 님트리와 아카시아 나뭇잎들이 서로 몸을 부비는 소리가 파도처럼 들렸다. 술은 이미 비어 있었다. 적막을 깨고 명이 물었다.

"더 마실까요?"

"술이 없어요. 제 방 냉장고는 텅 비었어요. 빈방에 빈 냉장고. 이게 바간의 마지막 밤이에요."

"괜찮으면 내 방으로 가시죠. 손을 안 대서 미니바가 꽉 차 있어요."

둘이 자리에서 일어나 몇 걸음을 옮기자 코코넛 열매가 둔탁하게 흙바닥으로 떨어졌다. 화들짝 놀란 그녀는 어깨를 움츠렸다. 그러고는 자신의 행동이 겸연쩍고 우스운지 그만 깔깔대며 웃고 말았다.

그 웃음소리가 맑아서 명은 팔을 뻗어 그녀의 어깨를 가만히 만졌다. 그건 상당히 충동적인 행동이었는데, 혹시 그 웃음을 만질 수 있을까 해서였다. 옥상 바닥으로 가늘고 길게 돋아난 두 사람의 그림자가 겹쳐졌다. 희가 고개를 한쪽으로 기울여 그 손등에 가만히 뺨을 댔다. 그는 그녀의 뺨을 어루만졌다.

*

희는 침대에서 곤히 잠든 명을 바라보았다. 희는 명이 잠들고 나서도 한동안 눈만 감은 채 깨어 있었다. 자신이 왜 이런 일을 벌였는지 잘 알 수가 없었다. 명에게 안긴 까닭은 분명히 육체적 욕망 이상의 것이었다.

힘없이 펼쳐진 명의 손바닥을 보다가 그녀는 자신의 손바닥을 가만히 그 위에 포갰다. 며칠간 자전거를 탄 탓인지 굳은살이 옅게 박였지만 크고 따뜻한 손이었다. 희는 그의 손금과 자신의 손금이 하나가 되도록 가만히 밀착시켰다.

지난밤 희는 명에게 평소 자주 듣는 곡을 들려달라고 했다. 명이 어떤 노래를 좋아하는 사람인지 궁금했고 분위기가 좋아질 것 같아서였다. 명의 휴대전화에서 흘러나온 것은 음악이라기보다 음향이라는 표현이 더 맞았다. 희의 표정에 큰 물음표가 뜨자 명은 우주에서 각 행성이 내는 소리를 녹음한 거라고 했다.

"은하계에는 셀 수 없을 만큼의 별들이 있잖아요. 흥미로운 건 말이죠, 거의 모든 행성이 하나 이상의 다른 행성 주위를 빙글빙글 돌아요."

희가 듣기에 수성에서는 바람 속에서 울부짖는 짐승의 소리가 났다. 금성에서는 바다 멀리서 울리는 선박의 둔중한 경적이 들렸다. 지구의 자전 음은 산업도로의 빗길을 달리는 폭주족의 굉음과 흡사했다. 그 해괴한 사운드를 한참 듣다가 희가 문득 물었다.

"오늘이 지났으니 그녀는 떠난 건가요?"

명은 미동도 없이 화성의 자전 음에만 귀를 기울였다. 마치 폐가의 경첩 떨어진 함석 대문이 폭풍우에 마구 흔들리는 소음 같았다.

"처음 바깥에 도착해서는 걸을 때마다 눈물이 찔끔찔끔 났어요. 그런데 여기서 탑과 탑을 돌다가 몰랐던 걸 알게 됐어요. 내가 먼저 그녀를 떠나게 했을지도 모른다는."

"왜 그렇죠?"

"사원에 들어가면 빛이 닿지 않는 캄캄한 곳이 있어요. 처음엔 전혀 안 보이는데, 가만히 들여다보면 차츰 그림이 보이기 시작해요. 놀라운 일이죠. 어둠 속에서 뭔가 보인다는 것이."

희는 동감한다는 듯 고개를 끄덕이고는 술잔을 들었다. 그리고 계속 말이 이어지기를 기다렸다.

"미얀마로 들어오는 비행기 잡지에서 재밌는 기사를 읽었어요. 동아프리카에는 아이의 생일을 엄마가 처음 그 아이를 생각한 날로 정하는 부족이 있대요. 실제 태어난 날이 아니라 엄마가 그 아이를 떠올린 날부터 그 아이의 인생이 시작되는 거죠."

"흥미롭네요. 근데 갑자기 왜 아프리카 부족 얘기를?"

"처음 이별을 생각한 사람이 누구냐의 문제예요. 그런 면에서 내가 그녀를 먼저 떠났고, 그래서 그녀가 오지 않은 것이겠죠."

희의 귀에는 이제 서로가 헤어졌다는 말로 들렸다. 자신도 사라바 게이트를 지날 무렵 최와의 관계의 끝을 먼저 생각한 것일 수도 있었다.

"왠지 먹먹해지네요. 이건 무슨 행성이죠?"

"목성이 도는 소리예요. 태양계에서 가장 큰 행성이죠."

두 사람은 마치 둥글고 깜깜한 드럼통 속에 들어간 것처럼 먹먹하고 아늑한 기분에 휩싸였다. 명이 말을 이었다.

"태양이 은하를 한 바퀴 도는 데는 약 이억 년이 걸려요. 공전속도가 초속 217킬로미터나 되죠."

희는 초속 217킬로미터를 상상하다가 서울에서 부산까지의 거리를 떠올렸다. 이 초면 닿을 수 있는 속도였다.

"태양만 도는 게 아니라 태양계에 속한 행성들도 함께 돌아요."

"어지럽네요."

"지금도 우리는 어딘가를 돌고 있어요. 혼자 도는 게 아니라 서로 연결되어 함께 돌아요. 그 무언가를 중심에 두고 계속 도는 거예요."

희는 고개를 들어서 명의 눈을 바라봤다. 그리고 술잔을 옆에 내려놓고 명의 손등에 살며시 자신의 손을 올려놓았다.

"관계의 끝을 생각한 사람이 먼저 떠난 거라면…… 저도 떠났어요."

시원한 바닷바람이 불어오는 듯한 해왕성의 회전음을 들으며 명과 희는 서로 입술을 포갰다. 두 사람의 혀가 입 속에서 원을 그리며 뒤엉켰다. 서로 끌어안은 채 침대에 눕자 여름날 푸른 잔디밭에 떨어지는 빗줄기 소리가 이어졌다. 명은 희의 귓가에 조그맣게 속삭였다.

"이건 명왕성이에요. 한때 태양계에 속했으나 이제는 아닌."

침대에서 일어난 희는 바닥에 떨어진 자신의 옷을 주워 입었다. 바지에 다리를 끼워 넣을 때 골반과 허벅지가 욱신거렸다. 지난밤 희는 명의 손길과 입술이 지나가는 자리마다 자신의 몸이 열리는 것을 느꼈다.

명의 움직임 하나하나가 그녀를 아득하고 눈부신 세계로 데리고 갔다. 끝까지 왔다고 여긴 곳에서 그는 한참을 미끄러져갔고, 더는 저기까지 갈 수 없을 거라고 도리질 치던 선을 넘어서 갔다. 희는 아득한 어느 지점으로 사라지는 자신의 환영을 보았다.

격렬한 몸짓이 끝나자 명은 희의 거친 숨이 가라앉을 때까지 구석구석을 어루만져주고는 잠이 들었다. 며칠간 잠을 이루지 못한 사람이 이루는 깊은 잠이었다. 베드 테이블의 램프 아래에는 지난밤 명이 올려놓은 편지가 보였다. 희는 봉투에서 편지를 꺼내어 읽었다. 선물로 산 루비 목걸이를 사원에 숨겨놓겠으니 다음에 함께 오면 꼭 주고 싶다는 문구가 마지막 인사였다.

희는 테이블에 놓인 붉은 루비 목걸이를 손으로 주워 들었다. 이 목걸이의 주인은 자신이어야 했다. 그것을 목에 걸고는 셔츠 안으로 넣자 살갗에 차가운 것이 닿았다. 좋아, 이걸 놓쳐서는 안 돼. 여기 있어야 해. 그러고는 조심스럽게 문을 열고 복도를 잠깐 살폈다. 최가 오기에는 이른 시간이었다. 희는 밖으로 나와서 미끄러지듯 옆방으로 돌아왔다.

최는 새벽 네 시경에 인사불성이 되어 들어왔다. 이도 닦지 않고 옷도 갈아입지 않은 채 졸도하듯 침대에 고꾸라졌다. 최의 음주 습관상 흔들어 깨우지 않는 이상 반나절은 잠에서 깨지 않을 게 분명했다.

오전 다섯 시가 넘어서 희는 방문을 열고 나와 마당으로 내려갔다. 호텔 밖으로는 해돋이를 보기 위해 관광객과 차량들이 간혹 지나다녔다. 밤새 프런트를 지킨 앳된 직원이 꾸벅꾸벅 졸고 있었다.

희는 마당 한쪽에 나란히 늘어선 오토바이와 스쿠터의 대열 끝에 구형 자전거 앞으로 걸어갔다. 명이 타고 다니던 자전거에는 밤새 님트리 이파리가 떨어져 있었다.

"님트리, 마이 러버, 마이 러버……"

희는 속삭이며 작은 이파리들을 가만히 손으로 쓸어냈다. 핸들을 그러쥐고 그의 엉덩이가 닿았던 안장에 올라앉았다. 천천히 페달을 밟자 온순한 짐승처럼 자전거는 바퀴를 굴리며 앞으로 나아갔다. 희는 나무들이 무성한 좁은 골목길을 벗어나 바간-차욱 로드로 핸들을 돌렸다.

해가 뜨기 전이라 거리는 정지된 흑백 화면 같았다. 고요하고 신성한 기운이 이른 아침의 바람을 타고 온몸을 통과했다.

평원으로 뻗은 길은 한적했다. 짙은 쪽빛 하늘을 이고 길 양편에 도열한 탑들이 언뜻언뜻 옆으로 다가왔다. 간혹 전조등을 밝힌 자동차와 오토바이들이 모래 먼지를 일으키며 지나갔다.

희는 소민지 수도원이 보이는 언덕 아래에 자전거를 세웠다. 모래언덕을 오르니 양 날개를 활짝 펼친 수도원의 정경이 눈에 들어왔다. 허물어진 새벽의 사원은 적막했다. 신발을 벗자 맨발바닥에 까끌까끌하고 차가운 모래가 밟혔다.

작은 법당 두 곳 중에서 희는 최가 목걸이를 찾아낸 곳으로 들어갔다. 휴대전화의 불빛을 비추자 보리수 아래 결가부좌로 앉은 부처 양옆으로 머리를 조아린 제자상이 보였다. 희는 주머니에서 목걸이를 꺼내어 불상 뒤의 좁은 틈에 손을 넣어 처음의 자리에 그것을 되돌려놓았다.

두 개의 붉은 루비 목걸이가 희에게는 필요치 않았다. 지금 목에 걸린 것 하나면 충분했다. 희는 불상 앞에 서서 혼잣말로 중얼거렸다.

"부처가 되는 길에 남녀와 노소가 따로 없잖아요. 그리고 보석의 가치도 사랑의 전후가 따로 없잖아요."

희는 무릎을 꿇고 엎드려 절을 세 번 올렸다.

희는 밖으로 나와서 수도원 터를 천천히 걸었다. 사흘 전 최와 이곳에 왔던 게 아주 오래된 일 같았다. 건물은 허리 위가 전부 사라지고 그 빈자리를 하늘이 메우고 있었다. 희는 돌계단을 밟고 본당 이층의 무너진 담장으로 올라갔다. 시야가 환히 열리던 평원은 안개로 자욱했다. 안개 너머로 에야와디강이 진회색 띠처럼 보였다.

강을 등지고 해 뜨는 곳으로 돌아앉은 희는 자신도 모르게 탄성을 질렀다. 차츰 어둠이 걷히며 마치 흑백의 틈에서 키를 늘이는 꽃대처럼 탑들이 솟구쳤다. 동이 트는 하늘에는 열기구가 가득 떠다니고 있었다. 그것들은 수천 개의 탑에서 한꺼번에 쏘아 올린 색색의 풍선 같았다. 지난밤 명과 포개져 섞이던 순간 황홀경에 보았던 우주의 행성들이 연상됐다.

담마얀지 너머로 감귤빛 기운이 부채꼴로 퍼져나갔다. 숲의 나무와 나무 사이, 탑과 탑 사이가 빛줄기로 채워졌다. 밤에서 아침으로 넘어올 무렵의 독특한 냄새가 바람결에 묻어났다. 혼자만 보기에 아까운 풍경이었다. 평평한 것과 솟아오른 것, 둥근 것과 뾰족한 것, 자연물과 인공물의 조화가 절묘했다. 지구가 아닌 다른 별에 온 듯한 신비한 기분에 젖어 그녀는 낮게 중얼거렸다.

"아, 벌써부터 그리워지네요."

일출에 따라서 하늘과 평원과 숲과 탑이 묘한 빛깔과 형태로 뭉쳤다 흩어졌다. 왠지 가슴이 환해지면서 새로운 꿈을 한껏 꾸게 되는 장소였다. 마치 그녀가 오기만을 기다리고 있었던 곳 같았다. 지금 이 온도, 이 광경, 이 바람, 이 감정, 이 상태의 기분이 계속된다면 영원히 행복할 듯했다.

"여긴 이유 없이 애틋하네요. 그리고 소원을 빌기 좋은 곳이에요."

앞으로의 생을 걸고 바라고 싶은 소원은 진정 사랑하는 사람과 오래 행복하게 사는 것이었다. 희는 명의 어깨에 머리를 기대고 이 풍경을 함께하고 싶었다. 그리고 자신의 소원을 말해주고 싶었다. 희는 셔츠 안으로 손을 넣어 명에게서 가져온 목걸이를 밖으로 꺼냈다.

*

오전 일곱 시경 연은 게스트 하우스 앞에서 쪼우쪼우의 택시에 올라탔다. 연의 짐은 무릎에 놓은 백팩 하나가 전부였다. 아무것도 들어 있지 않은 듯한 배낭 위에 연은 두 손을 가만히 모았다. 반쯤 열린 차창 밖으로 탑들이 지나갔다. 지난 천 년간 수백 번의 지진과 이차 세계대전까지 수많은 전쟁을 견뎌낸 탑들이었다.

"참, 소민지 수도원이 여기서 금방이죠?"

연이 묻자 쪼우쪼우는 운전석에서 몸을 돌려 뒤를 돌아보았다.

"거기 들렀다 갈까요? 시간은 충분합니다."

연은 수도원을 한 번 더 둘러보고 싶었다. 미련이 남았으나 그것도 부질없는 일이었다. 설령 목걸이를 찾는다 한들 이제 와서 그것을 목에 걸고 다닌다는 발상 자체가 허무맹랑하게 여겨졌다. 연은 고개를 저으며 활기차게 말했다.

"아니, 바로 공항으로 가죠."

쪼우쪼우는 환하게 웃고는 곧 시동을 걸었다.

떠날 때가 되어서야 연은 이곳에 너무 늦게 왔다고 생각했다. 늦게 오는 자는 인생의 벌을 받기 마련이었다. 연은 에야와디강에서 자기 안에 쌓인 모든 것을 흘려보내자고 다짐했으나 버리지 못한 하나가 있었다. 이십 년 전 그에게 썼으나 부치지 못한 답신이었다. 가방에 담긴 그 편지 한 통이 무거운 돌덩이처럼 연의 무릎을 짓눌렀다. 그 답신을 쓰레기통에 버리기는 싫었고 다시 들고 돌아가기는 더욱 싫었다. 소민지 수도원의 부처상 아래 놓고 올까 싶은 생각이 들었으나 이내 그 생각마저 지웠다.

운전을 하던 쪼우쪼우가 룸미러로 그녀를 보며 물었다.

"찾으러 왔다는 건 찾았어요?"

연은 망설이다가 찾았다고 대답하고는 미소를 지었다. 루비 목걸이는 없었지만 그것이 아니었다면 여기에 오지 않았을 테고 전과 같은 상태에 머물러 살았을 게 분명했다. 목걸이를 찾으러 와서 겪은 일들이 연에게는 보석보다 귀했다. 지난

사흘간 연은 명을 보며 전혀 알지 못한 한 장면을 알게 되었
는데, 이십 년 전 그가 어떤 고민 속에서 자신을 기다렸는지를
보게 된 일이었다. 이것이 그가 그녀에게 남긴 선물이었다.

"도착했습니다."

쪼우쪼우가 뒤를 보고는 붉은 이를 드러내며 웃었다. 연은
택시비를 주며 부탁했다.

"시간이 많이 남았는데, 잠깐 더 앉아 있어도 될까요?"

"얼마든지요."

쪼우쪼우는 공항 마당 한쪽에 택시를 주차시키고 덥지 않도
록 차문 네 개를 활짝 열어주었다. 맑고 선선한 아침 바람이 들
어왔다. 붉은 지붕과 황금 장식으로 마감한 바간 국내선 공항
은 아담하고 고요했다. 연은 수첩과 펜을 꺼내 들었다. 쪼우쪼
우는 나무 그늘에 앉아 셔츠 가슴주머니에서 꽁야를 꺼냈다.
그리고 여유롭게 한쪽 볼이 불룩하도록 그것을 밀어 넣었다.

연은, 편지가 당시의 복잡한 심사를 모두 드러낼 수는 없지
만 진심의 흔적을 엿볼 수 있지 않겠느냐고 말하던 명을 기억
했다. 편지는 남아 있지 않다고 대답하자 쓸쓸히 웃던 명의 표
정이 연의 마음을 건드리고 지나갔다. 수첩의 첫 줄에 연은 거
짓말해서 미안하다는 사과의 말을 썼다.

미안해요. 한 달만 정신병자처럼 살면 모든 게 잊힌다는 말은

거짓말이었어요.

심장을 거기 두고 온 것처럼 숨을 쉬듯 그리운 사람이 있어요. 단 하루도 떠오르지 않은 적이 없어요. 눈에서 멀어지면 마음에서 멀어질 줄 알았는데, 보고 싶다는 말이 하루에도 몇 번씩 튀어나오고, 왜 그런 말이 나오는지 이유를 모르는, 다만 그 말을 해야만 숨통이 간신히 트이는……

이 년의 관계가 어떻게 이십 년을 지배할 수 있는지, 의문이겠죠. 그러나 하루를 만나고 평생을 못 잊는 사람도 있어요. 그 사랑이 나를 어떻게 변화시켰는지, 내게 있는지조차 몰랐던 감각을 얼마나 일깨웠는지, 삶의 방향을 어디로 어떻게 바꿔놨는지, 그게 중요한 거죠. 사랑에는 규칙과 규범이 없잖아요.

인생에는 다만 한 사람이 있을 뿐이죠. 나를 버릴 수 있는 한 사람. 나머지 관계는 그저 장식품이거나 전리품일 거예요. 시간이 지나면 머리에서는 잊겠죠. 그러나 심장은 잊지 못해요. 그쪽에 두고 왔거든요. 여전히 식지 않았어요. 일정한 간격으로 뛸 때마다 생각나는 한 사람.

도서관 사서인 내게 그 사랑은 지난 이십 년간 도무지 분류되지 않는 책이었어요. 어느 곳에도 꽂아놓을 수 없어서 여전히 손에 든 채 고단하게 책장을 돌며 서성대기만 한 책. 그가 죽는 날까지 이 답신을 보관한 이유는 이것만이 내가 그를 마지막까지 사랑했다는 유일한 알리바이이기 때문일 거예요.

그러나 이곳에 와서 얘기를 하고 나니 이미 고통이 지나갔다는 것을 알게 되었어요. 벌써 정리된 줄도 모르고 손은 그것이 빠져나간 자리를 여전히 붙든 채 살았나 봐요. 고통이 영원하지 않다는 걸 알면 그것에 붙잡히기보다 흘러가게 하는 일이 더 쉬워질 거예요. 이곳에서 나는 흐르는 것들에서 살아 있음을 봤어요. 이제야 부치지 못한 답신을 보냅니다.

— 바간 공항에서

연은 메모를 마친 수첩을 찢어서 반듯하게 접었다. 그리고 오래전 부치지 못한 편지 봉투에 그것을 넣었다. 연은 백팩을 메고 택시 밖으로 나와서 나무 그늘에 앉은 쪼우쪼우에게 걸어갔다. 쪼우쪼우는 붉은 침을 뱉고는 자리에서 일어나며 환하게 웃었다.

쪼우쪼우는 그길로 게스트 하우스로 돌아가 최와 희를 태워서 공항으로 데려오고, 마지막으로 명을 공항까지 데려와야 했다. 요전 날 최가 연과 명에게 양곤행 탑승 시간을 묻더니 순식간에 세 팀을 묶어서 짜낸 코스였다. 수완 좋은 최는 세 팀의 픽업 서비스를 한 택시에 몰아주고는 요금을 디스카운트받았다.

쪼우쪼우는 연의 부탁을 듣더니 걱정 말라며 편지를 가슴 주머니에 꽂았다. 그리고 연에게 물었다.

"여기서 탑 몇 개 봤어요? 2500여 개의 탑이 있는데."

연은 자신이 방문했던 탑 이름을 몇 개 대다가 문득 물었다.

"그 많은 탑의 이름을 모두 아나요?"

쪼우쪼우는 두 손바닥을 흔들며 웃었다.

"아니요. 이름을 가진 건 극히 적어요. 2300개가 넘는 탑이 이름이 없거나 몰라요. 구분이 어려워서 숫자를 달아놨어요. 그게 이상한가요?"

연은 고개를 돌려 자신이 지나온 쪽을 바라보았다. 이름이 붙지 않은 탑들이 눈에 들어왔다. 저 탑의 숫자만큼 수많은 사연들이 있을 테지만 누가, 왜, 무슨 목적으로 만들었는지 전해지지 않는 것이 그렇게나 많았다.

"이상하지 않아요. 자연스러워요. 극히 자연스러워요."

기록되지 않고 잊히더라도 세상의 이해나 사람들의 통념과 상관없이 저렇게 당당히 솟아 있는 모습을 확인한 것만으로도 충분했다. 연은 아직도 보지 못한 많은 탑이 남아 있다는 사실에 새삼 안도했다. 연은 두 손을 가슴 앞에 모아서 그동안 고마웠고 다시 만나자는 인사를 했다.

"제주떤 바데. 나웅 마 뚜이메."

쪼우쪼우도 두 손을 모으고 고개를 숙였다.

"야바대. 제주떤 바데."

*

택시에 타자마자 곯아떨어진 최가 기지개를 켜며 깨어났다. 희는 차창 쪽으로 고개를 돌렸다. 바간의 탑과 나무와 소떼가 창밖으로 흘러갔다. 지난밤 얼마나 마셨는지 최에게서는 아직도 고약한 술 냄새가 진동했다.

최는 바간 현지 여행사와의 협업을 이끌어내지 못했다. 아무리 애를 쓰고 조정을 해도 그들이 요구한 금액과 조건을 수용하기에는 무리였다. 늦은 밤 상무에게 전화를 걸어서 사정을 설명하자 상무는 철수 지시를 내렸다.

"미안해서 어쩌지? 내가 두 시 전에는 들어오려고 했는데…… 화 많이 났어?"

지금쯤 바간 루트 개발 프로젝트는 무한 보류 결정이 내려졌을 거였다. 최는 하품을 하며 속으로 중얼거렸다.

'잘 있거라, 바간. 이번엔 운이 없었다.'

하품 탓인지 눈가에 눈물이 찔끔 고였다. 최는 현지 담당자와 악수를 하고 헤어질 때 알았다. 현장이란 결국 내가 할 수 없는 것들을 알아가는 장소라고. 그것을 알게 되자 무력감이 들어 집에 가려는 통역을 억지로 붙잡아 술을 더 마셨던 것이다. 작년에 기안을 올려서 연초부터 회사의 주요 사업으로 공을 들인 이번 프로젝트가 물거품이 되는 순간이었다. 뿐만 아니라 이젠 옆에 있는 희조차도 어찌할 수가 없었다.

희는 대답 없이 평원의 풍경을 바라보았다. 지나치는 탑 하나하나가 문득 밀봉된 비밀 상자처럼 보였다. 그곳에 담긴 비밀과 사연이 한꺼번에 전부 풀어헤쳐지면 세상은 어떻게 될까……. 희는 소민지 수도원에서 빌었던 소원을 떠올리며 그곳을 자신만의 타임캡슐로 기억했다.

"다음에 또 오자고. 여기 루트 뚫리면 내가 너 왕비처럼 모실게. 어제 좋은 곳 많이 알아냈어."

최가 미안한 듯 희의 팔을 슬며시 잡으며 말했다. 희는 대답 없이 창밖 풍경에서 눈을 떼지 않으며 그런 일은 없을 거라고 생각했다. 그녀는 한 손으로 가슴에 걸린 목걸이를 만지며 명이 지금쯤 잠에서 깼을지 궁금했다. 최가 문득 떠오른 듯 물었다.

"참, 카메라 잃어버려서 어쩌지?"

희는 혼잣말을 하듯 말했다.

"카메라를 잃어버린 건 괜찮아. 기억을 잃어버린 게 아쉽지."

"걱정하지 마. 내가 다음에 더 많이 찍어줄게."

최는 코가 막힌 듯한 소리로 위로했다. 그리고 희의 침묵이 불안한 듯 또 물었다.

"근데, 그 목걸이 잘 하고 있어?"

희는 건성으로 고개를 끄덕였다.

"어디 봐봐."

최는 희의 손목을 쥐고는 흔들었다. 희는 손목을 뿌리치고 싶었으나 내색하지 않고 그저 눈길을 차창 밖에 두었다.

"이게 이렇게 멋있는 거였나?"

과음한 탓에 최는 시력이 흐릿해진 눈을 비볐다. 그러고는 몸을 약간 뒤로 빼며 감탄하듯 말했다.

"오, 볼수록 괜찮은데! 마음에 들어?"

"응."

"좋아, 아주 좋아. 잘 어울린다고."

잘 어울린다는 말에 희의 얼굴에 짜증이 사라지고 슬쩍 웃음이 맺혔다. 최는 희의 손목을 잡고 자신의 몸 쪽으로 당겼지만 그녀는 슬그머니 손을 빼내었다. 희는 목걸이의 알맹이를 검지 끝으로 매만졌다. 도톰하고 차가우며 매끈한 감촉이 좋았다. 스스로 원한 것이니 끊어낼 수 없는 올가미여도 상관없었다. 홍옥에 자신의 얼굴이 붉고 오롯하게 비쳤다.

"해돋이는 어떡하지?"

"신경 쓰지 않아도 돼."

"미안해. 다음에 함께 보자. 해와 달이 그사이에 어디로 달아나는 것도 아니고. 해가 뭐, 응? 해지, 뭐."

여전히 몸을 제대로 가누지 못하며 최가 아무렇게나 지껄였다.

오늘 바간의 일출은 이제껏 보던 해와 확실히 달랐다. 우주

의 낯선 행성에서 바라본 듯한 그 불덩어리 앞에서 희는 이전
과 분명히 달라진 자신을 확인했다. 희는 명이야말로 한 사람
을 영원히 간직할 수 있는 사람으로 믿었다. 어떻게 최를 따라
와서 이렇게 말도 안 되는 일이 벌어졌을까? 이런 비합리적인
충동에 대항할 겨를도 없이 상대에게 어쩔 수 없이 빠지는 것
이 사랑일까.

열린 창틈으로 들어오는 바람에 희는 헝클어진 머리카락을
손으로 갈무리했다. 희는 사랑이란 본인이 마음대로 선택할
수 없다는 것을 제대로 아는 일이라고 생각했다.

"염주 팔찌는 왜 안 했어?"

"샤워하기 전에 가방에 넣었어. 젖을까 봐."

"그래, 잘했어. 잘했다고."

최는 턱이 빠지도록 길게 하품을 하며 더는 못 참겠다는 듯
눈을 감았다.

쪼우쪼우가 운전을 하며 유쾌하게 물었다. 웃는 얼굴이 룸
미러에 비쳤다.

"바간 여행은 즐거웠나요?"

최가 눈을 게슴츠레하게 뜨고 입을 열었다.

"인생, 맘대로 안 되네요."

회사로 돌아가면 어떤 일이 벌어질지 벌써부터 깜깜했다.
당장 희하고도 어떻게 될지 알 수 없었다. 미안한 태도를 보이

면 좀 누그러진 모습을 보여줘야 하는데 한번 토라지면 오래 가서 더는 신경 쓰고 싶지 않았다.

"네, 좋은 시간이었어요."

이어서 희가 대답했다. 희는 이제껏 자신이 원하는 게 무엇인지 정확히 몰랐다. 그러나 여기서 명을 보며 어떤 사랑을 원하는지 비로소 알게 되었다. 사랑에 대한 기대가 이곳까지 오게 했고 기다리던 운명을 만나게 했다고 믿었다.

저만치 공항이 보이자 희는 모래 먼지가 뿌옇게 덮인 택시 유리창에 검지로 '바간'이라고 쓰고 그 옆에 하트를 그려 넣었다. 당장 차를 세우고 내려서 명의 품으로 달려가고 싶었다. 옆에 앉은 최보다 멀리 있는 명에 더 가까이 연결됐다는 점이 놀라웠다. 희는 명을 향해 입술을 동그랗게 모으며 속삭였다.

"나웅 마 뚜이메."

문득, 다음에 또 보자는 이 이국의 말이 사랑한다는 말보다 더 애틋하고 달콤했다.

*

끈질기게 이어지는 노크 소리에 명은 잠에서 깨어났다. 잠깐 이곳이 어딘지 분간이 가지 않아서 주위를 두리번거려야 했다. 명은 대답을 하며 옷을 간신히 걸쳐 입었다. 문을 열자 호텔 스태프인 청년이 서 있었다.

"편지를 부치신다고 해서 받으러 왔습니다."

눈을 비비다가 명은 겨우 생각난 듯 고개를 끄덕였다. 손으로 헝클어진 머리를 홀홀 빗어 넘기며 명은 침대로 돌아가 베드 테이블 위의 편지를 집어 들었다.

순간 차가운 물을 뒤집어쓴 듯 정신이 번쩍 들었다. 그 옆에 있어야 할 루비 목걸이가 보이지 않았다. 명은 베드 테이블의 서랍 세 개를 모두 열어젖혔다. 손으로 더듬으며 주변을 샅샅이 살폈으나 찾을 수가 없었다. 가방을 뒤지고 옷의 주머니를 차례로 뒤집어 깠다. 명은 바닥에 엎드려 침대 아래를 살펴보다가 불현듯 희를 떠올렸다.

청년은 공손히 서서 포도알만 한 눈동자로 명이 우왕좌왕하는 모습을 지켜보았다.

"손님, 무슨 문제라도?"

"아, 아니에요."

명은 자리에서 일어나며 청년에게 물었다.

"혹시 바로 옆방 한국인 커플 떠났나요?"

"네, 두 시간 전에 떠났어요."

"아, 알겠습니다."

"편지는……. 지금 아래 우편배달원이 와 있는데요."

명은 망설이다가 대답했다.

"아니에요. 일단 그냥 내려가세요. 나중에 따로 부칠게요."

그는 그동안 여러모로 도와준 청년에게 1000짯을 팁으로 주었다. 청년이 문을 닫고 사라지자 명은 우두커니 서서 침대를 보았다. 지난밤 옥상에서 그녀의 뺨을 어루만진 일과 방에서 서로 끌어안던 장면이 떠올랐다. 이윽고 몸이 완전히 포개졌을 때, 자신에게 중얼거린 말까지 기억났다. 더는 어제와 같지 않을 거야. 지금 이렇게 끊지 않으면 그 무엇도 할 수 없게될 거야. 이것으로 돌아가는 길을 끊어버렸다는 두려움과 흥분에 떨었던 일까지 생생히 다가왔다. 끊어진 그 길에서 예상치 못한 새로운 길이 펼쳐지는 게 보였다.

짐을 싸면서 명은 테이블의 편지 봉투로 간혹 시선을 던졌다. 편지에는 선물로 구입한 목걸이를 수도원에 숨겨둘 테니 나중에 함께 오면 걸어주겠다는 약속이 쓰여 있었다. 명은 그것을 수도원에 들러 숨기고 공항으로 갈 계획이었다. 올드바간에서 뉴바간으로 이어지는 길목 중간에 위치한 수도원은 도로에서 약간 벗어난 한적한 곳이었고, 아담하지만 이층 구조의 독특한 분위기가 속내를 고백하기에 적당한 곳이었다. 그런데 막상 목걸이가 사라지자 편지를 부쳐야 할지 망설여졌다.

공항으로 가는 시간은 아직 충분했다. 명의 짐은 백팩 하나로 단출했다. 가방을 메고 편지를 손에 쥔 채 명은 마당을 서성였다. 둥근 화살촉 모양의 님트리 잎들이 발에 밟혔다. 바간에서 내내 자신이 기다린 일과 말하지 못한 것들을 어찌해야 할지, 이제 와서 무슨 도움이 될지 모를 사연을 전하는 게 맞는지 판단이 서지 않았다.

"공항으로 가는 택시가 왔습니다."

청년이 마당까지 나와서 명에게 알렸다. 시계를 보니 이십 분이나 이른 시간이었다. 명은 고맙다고 말하며 편지와 우푯값을 청년에게 건넸다. 부족하든 혹은 부적절하든 이것이 진심의 흔적이며 현재 자신이 처한 감정의 좌표였다. 이제는 전달하지 않고 품고 사는 게 더욱 힘들 듯했다.

명은 프런트에서 계산을 마치고 게스트 하우스 앞으로 나왔다. 쪼우쪼우는 대나무 의자에 앉아서 여유롭게 한쪽 볼이 불룩하도록 꽁야를 욱여넣고 있었다. 명이 손을 들어 인사를 하자 쪼우쪼우는 붉게 물든 이를 보이며 환하게 웃었다.

명이 택시에 올라타자 쪼우쪼우가 침을 뱉고는 운전석으로 들어왔다. 그리고 그에게 봉투를 건넸다.

"이게 뭐예요?"

"전해주라는 부탁을 받았어요. 열어보면 알 거래요."

명은 고개를 갸웃하며 봉투를 열었다. 수첩을 찢어서 적은 메모는 연에게서 온 것이었다. 그것을 펼쳐 읽는 동안 택시는 서서히 바간의 숲을 빠져나갔다. 이십 년 전 연이 연인에게 전하지 못한 답신이 명의 손에 들려 있었다. 반쯤 열린 창문으로 바람이 들어와 머리카락이 흩날리고 세 페이지 분량의 편지지가 바르르 떨렸다. 서른 살의 연이 펜 끝으로 정성스레 눌러 쓴 글씨는 여전히 선명했다.

고향에서 올라와 우편함에서 편지를 발견한 때에도 당신 생각뿐이었어요. 보내준 편지를 수도 없이 펼쳐봤어요. 할 수 있는 일이 그것밖에 없었어요. 바간행 티켓을 찢은 순간에도 후회스러웠지만 우리에게 남은 길이 이것뿐이라는 걸 인정할 수밖에요.

왜 바간에 가지 않았는지 궁금하실 거예요. 우선 저에게 남겠다는 말씀 감사해요. 그 감사함과 당신 가족에 대한 미안함 사이에서 고민이 많았어요. 당신과 새 생활을 시작한다면, 전보다 특별해져야 할 것 같은 부담이 들었어요. 이렇게 해서 만든 관계가 실패하면 어쩌지, 하는 두려움도 컸어요.

무엇보다 저는 당신의 기억과 함께 살아갈 자신이 없어요. 당신을 만났을 때 당신은 이미 저만의 사람이 아니었어요. 모순적이게도 그 세계가 있었기 때문에 우리의 세계가 생겨난 것이지요. 우리가 일찍 만났더라면 죄책감이나 질투, 연민 등에서 벗어나 오로지 사랑 안에서 자유로웠겠지요. 그러나 당신에게는 제가 부재한 기억의 분량이 너무 많아요. 그 기억이 습관적으로 당신을 사로잡고 뒤흔들 때, 옆에서 버티고 있을 자신이 없어요.

150

짊어진 기억의 분량만큼 당신이 죄책감에 시달릴 것을 저는 당신보다 더 잘 알아요. 그런 당신은 제가 사랑한 당신과는 다른 사람이겠죠. 저에게는 이보다 잔인한 일은 없을 거예요. 당신의 후회를 매번 함께 끝까지 위로할 인내가 제게 있을까요. 지금 떠나지 않으면 아무것도 할 수 없는 날이 올 거예요.

제가 불안했던 이유는 당신이 좋은 사람이기 때문이에요. 당신은 가족을 떠날 수 없을 거예요. 수없이 원망했지만 원망해선 안 될 일인 것도 알아요. 당신을 원망한 이유가 사실은 당신을 소중히 여긴 이유와 같아요.

가장 당신이 그리운 지금 우리는 헤어져요. 바깥에 갔다면 우리 앞에는 내리막길뿐이었을 거예요. 우리의 마음이 가장 절실한 지금, 우리의 기억이 온전히 우리만의 것인 지금, 가장 아름다운 모습으로 서로에게 남기를 원해요. 고통스러운 일이지만 이것이 당신을 지키고 우리를 지키기 위한 저의 최선이에요.

나약하고 이기적인 저를 아껴줘서 고마워요. 삶의 마지막 순간에도 당신이 제일 그리울 거예요. 부디 건강하고 아프지 말아요. 미리 걱정하거나 이미 벌어진 일로 너무 애쓰지 말아요. 당신은 충분히 훌륭해요.

잘 가요, 내 사랑. 나 잘 있을게요.

명의 눈물이 후드득 편지지 위로 떨어졌다. 콧등이 찡해지며 콧물이 흐르고 목이 조일 듯 아파오며 눌러왔던 울음이 터져 나왔다. 명은 끝내 손바닥으로 얼굴을 가리며 흐느껴 울었다. 뙤약볕 아래에서 탑과 탑 사이를 돌고 수없이 바닥에 엎드려 절하며 그녀를 기다렸던 원망이 빠져나가는 기분이었다.

고개를 돌리자 반쯤 열린 차창으로 들어오는 바람이 명의 상기된 얼굴을 식혔다. 길가에 늘어선 천년 고탑들이 명을 굽어보았다. 눈부신 햇살 아래 펼쳐진 평원이 환했다. 저 평원의 탑이 모두 무너지거나 사라진다면…… 밤이 없는 하루 같을 것이고 꽃이 피지 않는 정원 같을 것이다.

바간은 자연의 비바람이 깎아낸 절경이기보다는 인간의 눈물과 땀으로 이뤄낸 절경이었다. 수평적인 것들이 주는 위안과 평화 그리고 수직으로 세운 것에 대한 경외와 매혹에 명은 두 손을 가슴 앞에 모았다.

"기다리던 사람은 만났나요?"

이제껏 아무 말 없이 운전을 하던 쪼우쪼우가 물었다. 명은 망설이다가 대답했다.

"네, 만났어요. 잘 만났습니다."

지난 사흘간 명은 그녀를 온전히 만났다고 생각했다. 서울에서 그녀가 떠났더라면 원망에 휩싸여 분노하거나 따져 물었을 게 뻔했다. 하지 않던 짓을 하거나 해서는 안 될 짓을 저질렀을지도 몰랐다. 그녀가 이곳에 왔다면 이제껏 대하던 태

도로 그녀를 대했을 게 뻔했다. 이제껏 대하던 태도로 대하면
서 왜 행복해하지 않느냐고 힐난했을 게 분명했다. 지난 사흘
은 그녀를 알고 난 후 가장 깊이 그녀를 마주하고 끌어안고 고
개를 끄덕인 날들이었다.

　저만치 공항이 보이자 명은 생각했다. 어쨌든 하루가 지났
으니 그 전으로 돌아가지는 않을 거라고. 어제의 나와는 분명
히 다를 거라고. 명은 자신이 지금 닿은 그 지점에서 또 다른
길이 이어지고 열릴 것을 예감했다. 명은 멀어지는 풍경들을
향해 인사를 했다.

　"나웅 마 뚜이메!"

　발음을 하고 나자 이 이국의 인사가 목젖을 울컥하게 만들
고 가슴에 눅눅한 메아리를 만들었다. 택시의 뿌연 유리창 한
켠에 누군가 한글로 쓴 '바간♡'이라는 글씨가 눈에 들어왔다.
명이 손을 뻗어 밖으로 나온 획 하나씩을 지우자 글자는 '비
긴'이 되었다.

몸의 환한 통로

양곤발 서울행 비행기 좌석에 앉은 연은 통로를 걸어오는 승객들을 보았다. 책을 분류 정리 하는 습관 탓에 그녀는 생김새와 차림새를 기준으로 그들을 은연중에 나누었다. 양복 차림에 슈트케이스를 든 사람은 경영 서적으로, 승복을 입고 바랑을 걸친 스님들은 종교 서적으로, 등산복에 카메라를 멘 이들은 여행 서적으로 나누는 식이었다. 별다른 특징이 없을 경우엔 분위기와 표정으로 판단했다.

마지막으로 탑승한 젊은 여자가 그랬다. 여자는 승객이 전부 앉은 후에 힘없이 들어왔다. 서른 살 전후로 짐작됐는데 등에 멘 배낭이 불룩했다. 좌석번호를 좌우로 살피던 여자는 연 앞에서 멈춰 섰다. 여자는 배낭이 무거운지 긴 숨을 토해내며 어깨끈을 벗었다. 힘겹게 두 팔을 뻗어서 그것을 짐칸에 올리는 여자의 등은 땀에 흠뻑 젖어 있었다.

여자는 약간만 꾸미면 꽤나 돋보일 만큼 외모가 준수했다. 그에 비해 행색은 초라했는데, 여행을 마치고 집으로 돌아가는 자의 활기라든지 노곤함과는 거리가 멀었다. 질끈 묶은 머리는 감지 않은 듯 윤기가 없고 무엇보다 생기를 잃은 얼굴은 좌우 균형이 묘하게 맞지 않았다. 그 비대칭에서 감추려 해도 감출 수 없는 감정이 엿보였다.

연은 한눈에 여자가 방금 뭔가를 잃은 사람이라는 걸 알아보았다. 그저 방치된 외모, 텅 빈 듯한 표정, 의욕을 잃은 몸짓 등에서 그것은 쉽사리 드러났다. 자신이 전에 몸으로 겪은 증상이어서 읽어내기 어렵지 않았다. 그녀를 책으로 분류하라면 마땅히 '이별'에 관련된 서가에 꼽을 수밖에 없었다.

불룩하고 무거운 여자의 가방을 본 순간 연은 엉뚱하게도 오래전 자신을 떠올렸다. 정리하거나 버리지 못한 채 항상 지고 다녔던 근심과 어디에도 편히 내려놓을 수 없었던 기억의 짐……. 저 무게와 부피가 줄어들 때까지 겪어야 할 일들이 짐작되어서 동병상련으로 느꼈다. 여자는 연의 앞자리에 풀썩 주저앉았다.

비행기가 공중으로 솟아오르자 연은 유리창 밖으로 고개를 돌렸다. 눈 아래 펼쳐진 미얀마 지형은 바둑판처럼 규칙적이거나 구획이 정비된 것과 멀었다. 들판과 경작지와 산과 강의 모습은 새순 같고 열매 같은 완만한 곡선으로 이루어져 있었다. 그 사이사이에 자리 잡은 마을은 새 둥지 같았다. 그 나라의 문자 역시 태어난 곳의 환경과 사람의 성격을 닮는 듯했다.

이륙한 동체가 기류를 타고 흔들림이 적어지자 여자는 기다렸다는 듯 자리에서 벌떡 일어났다. 그리고 짐칸의 문을 열고는 두 팔을 뻗어서 다시 그 무거운 배낭을 끌어 내렸다. 승객들의 눈초리와 승무원의 안전벨트 착용 요구에도 신경을 쓰지 않았다. 여자가 지퍼를 열고 가방을 이리저리 뒤지던 중에 뭔가 둔탁한 쇳소리를 내며 바닥에 떨어졌다. 연은 자신의 발 앞까지 굴러온 그것을 주워서 말없이 건넸다. 살구만 한 금 종이었는데 한쪽이 깨져 있었다.

여자가 결국 배낭에서 끄집어낸 것은 책과 노트였다. 연의 앞자리에 앉았던 여자는 바로 통로 건너편의 빈자리로 옮겨 앉았다. 연에겐 대각선 방향이어서 여자의 왼쪽 옆모습이 시야에 고스란히 들어왔다. 그녀는 등받이 테이블을 펼치고는 노트의 깨끗한 면을 열었다. 그리고 펜을 들어 다급히 적어 내려가기 시작했다. 중간중간 미얀마 여행서를 찾아보고 노트의 다른 면에 쓴 내용을 옮겨 적는 모습이 심각했다.

연이 모니터로 영화를 보다가 간혹 고개를 돌리면 여자는 여전히 펜으로 글자를 꼼꼼히 눌러 쓰는 중이었다. 식사로 제공된 비빔밥에도 거의 손을 대지 않았다. 해외에서 돌아오는 국적기의 비빔밥을 받아놓고서 먹지 않는 경우는 흔치 않은 일이었다. 여자는 손을 주무르며 따뜻한 커피를 몇 모금 마시다가 뜯지도 않은 음식을 쟁반째 승무원에게 물렸다.

식사 시간 후에도 여자는 개인 램프를 밝히고 또박또박 글씨를 적어 내려갔다. 간혹 펜을 내려놓고 조심스럽게 휴지로 코를 풀기도 했는데, 눈가와 콧방울이 붉어진 것을 연은 어렵지 않게 눈치챘다. 노트는 벌써 네 페이지를 훌쩍 넘긴 듯 보였다. 램프의 불빛이 닿는 여자의 목덜미와 어깨가 환했다.

연이 까무룩 잠에 들었다가 깨어난 것은 곧 인천공항에 착륙한다는 기장의 안내 방송이 나올 무렵이었다. 여자는 눈을 감은 상태였다. 램프는 꺼지고 테이블은 접혀 있었다. 등받이 그물주머니에 넣은 미얀마 여행서가 보였다. 여행서 사이에는 노트에서 찢어낸 듯한 여러 장의 종이가 접혀서 끼워져 있었다.

*

회의실을 나오자마자 그녀는 양곤행 직항 노선을 비즈니스석으로 끊었다. 느닷없이 출국일에 잡힌 업무 보고 탓에 명과 바간에서 '도킹'하기로 했지만, 보고는 예상외로 싱겁게 끝나고 말았다. 며칠 전 취소한 같은 항공편의 남은 좌석은 비즈니스 클래스뿐이었다. 하루 늦게 가면 지출은 줄겠지만 명과의 해외 휴가도 하루가 줄어드는 셈이었다. 그것을 타면 양곤에서 명과 만나서 함께 바간으로 들어가는 게 가능했다. 그녀는 입술을 꾹 깨물며 애초 구입한 티켓 가격의 세 배에 달하는 비즈니스 좌석을 결제했다.

그녀는 도망치듯 일터에서 나와 전속력으로 차를 몰아 집으로 갔다. 그리고 배낭에 짐을 허겁지겁 쑤셔 넣었다. 명과 여행지에서 함께 입을 여름 상하의 커플룩도 빠뜨리지 않았다. 인천으로 차를 몰고 가는 길과 탑승하여 이륙 전까지도 그녀는 휴가 동안 업무 공백을 메우기 위해 여기저기 전화를 넣었다. 미처 인사를 못 하고 나온 사람들에게는 이런저런 핑계를 댔다. 그리고 보고서를 작성하느라 며칠간 미룬 잠에 곤히 빠져들었다.

양곤국제공항 청사 이층에서 그녀는 명이 나오기를 기다렸다. 명은 방콕을 경유하는 노선이어서 오히려 양곤에는 그녀가 두 시간가량 빨리 도착했다. 기다리는 동안 그녀는 문득 명과 사귄 이 년 가까이 자신이 매번 그를 기다렸다는 사실을 발견했다. 늘 연락이 오기를 기다리고 약속을 잡으면 늘 먼저 나와서 기다렸다. 잠자리에서도 늘 그가 씻고 나오기를 기다리고 아침이면 음식을 차려놓고 그가 깨어나기를 기다렸다. 무엇보다 그와 더 오래 함께하기 위해 파혼을 기다렸다.

바간에 가자고 제안한 것도 그녀가 먼저였다. 사귄 지 일 년 반 만에 명은 파혼을 하고 그녀에게 왔으나 우유부단하고 수동적인 태도는 그대로였다. 여름 휴가지로 친구에게 바간을 소개받은 그녀는 명과 그곳에 갈 날을 꿈꿨다. 항공편과 숙소를 알아보고 일정을 미리 짜서 명에게 보여주며 대답을 기다렸다. 지난 몇 개월간 아웅다웅하던 관계를 회복하고 각자의 소원을 빌러 가자는 말에 명은 동의했다.

그토록 고대하던 여행이었으나 막상 미얀마 양곤에 도착해서 명을 기다리며 그녀는 그런 일련의 기다림이 행복하지 않았다는 자각에 새삼 울적했다.

"생각해보니 그는 늘 고마워하지 않았어!"

그녀는 자신도 모르게 허공에 대고 말을 내뱉었다. 명은 늘 자신의 그런 기다림을 당연하게 여겼고 크게 기뻐하지도 않았다. 그런 명을 기다리기 위해 비즈니스석을 끊어서 아등바등 이곳까지 달려왔다는 사실이 갑자기 억울하고 화가 났다.

어쩌면 출국 전의 안 좋은 일 때문인지도 몰랐다. 명은 그녀에게 왔으나 약혼녀에 대한 기억의 분량이 너무 많았다. 삼십대의 반을 약혼녀와 보냈으니 이해 못 할 일은 아니지만 그녀는 자신이 명 안으로 들어갈 수 없다는 게 답답했다. 명은 자주 우두커니 혼자서 뭔가에 빠져 지냈다.

식사 자리에서 그녀는 명에게 물었다. 명이 그녀에게 온 지 백 일째여서 그녀는 디저트로 케이크를 준비했다.

"이제 나도 소울메이트지?"

명은 단 일 초도 망설이지 않고 고개를 내저었다.

"아니."

순간 그녀의 표정이 무너졌다. 그렇게 정색을 하며 부인하는 모습에 자신도 모르게 얼굴이 붉게 달아올랐다. 명은 자신의 약혼녀를 '소울메이트'라 불렀었다. 스펀지케이크가 목구멍을 할퀴며 넘어갔다.

"왜? 왜 아니야?"

"난 이제 소울 따윈 없어."

"무슨 말을 하는 거야, 지금?"

"난 배신을 했잖아. 그런 놈이 무슨 소울이 있겠어. 언젠가 난 죗값을 치를 거야."

그 말에는 그녀 때문에 자신이 영혼을 잃었고 죄를 짓게 됐다는 책망이 숨어 있었다. 그녀가 아무리 기다리고 애를 써도 영혼을 교류할 만한 '급'은 안 된다는 무시가 깔려 있었다. 게다가 파혼을 했다고 해서 그녀와 결혼을 한다는 보장이 없다는 불확실성이 함축되어 있었다.

명은 함께 있을 수는 있지만 가질 수는 없는 사람이었다. 그의 곁에 뿌리 내릴 수 없다는 불행한 예감에 그녀는 몸서리를 쳤다. 무엇보다 자신을 진심으로 대하지 않고 자신을 위해 용기를 내지 않는 그의 모습이 실망스러웠다. 그럼에도 오늘까지 그녀에게 명은 화가 나면서도 늘 보고 싶은 사람이었다.

국제선 청사 일층에 나타난 명을 그녀는 이층에서 내려다보았다. 내려다보는 그녀의 얼굴은 우울하고 심각했다. 늘 자신이 먼저 말하고 조르고 부탁하고 요청하고 애원했던 모습이 떠올랐다. 그녀는 휴대전화를 꺼내어 짧은 문자를 보냈다. 반은 진심이었으나 반은 진심이 아니었다. 어쩌면 며칠간 잠을 못 이룬 상태에서 국경을 건너며 생긴 시차로 인해 빚어진 정신적 착란일지도 몰랐다.

―우린 여기까지인 것 같아. 미안해.

그녀는 문자를 보내놓고도 정작 이별을 의도하지는 않았다. 이별을 위해 군이 이곳까지 비즈니스석을 타고 올 필요도 없었고, 사연 많았던 지난 일 년 구 개월의 교제를 이런 두 줄의 통보로 끝낸다는 것도 말이 안 되는 일이었다. 억울함과 반항심이 깔린 충동적인 행동이라 하는 편이 더 맞았다.

명에게 곧바로 전화가 걸려왔으나 그녀는 받지 않았다. 이어서 문자와 메일이 날아왔지만 그녀는 답신을 참았다. 시간이 흐를수록 명은 공항에서 안절부절못하며 전화기를 붙들고 한숨을 쉬었다. 스피커에서는 끊임없이 외국어 방송이 나오고 여행자들은 가방을 끌며 떠나고 돌아왔다. 명은 눈의 초점을 맞추느라 미간을 찌푸린 채 황망히 주위를 두리번거렸다. 그는 놀랍게도 위를 한 번도 쳐다보지 않았다. 곧 울음이 터질 듯 보였다.

이제라도 자리에서 일어나 명을 소리쳐 부르며 손을 흔들고 싶었다. 깜짝 놀란 그의 표정을 보고 싶었다. 그러나 이별의 문자를 보내고 전화를 받지 않고 문자메시지를 무시하고 나니 쉽사리 그럴 수가 없었다. 늘 자신을 기다리게 만들던 명이 지금 자신을 애타게 찾는 모습을 지켜보는 일은 고통스러웠다. 그녀는 자신도 모르게 뭔가를 잡으려고 팔을 뻗었다가 그마저도 허공에 그대로 얼어붙고 말았다.

명은 초조하게 시계를 보다가 순식간에 몸을 돌려 국제선 청사 밖으로 뛰어나갔다. 그녀는 자리에서 벌떡 일어났다. 지금이라도 그를 소리쳐 부르며 따라가고 싶었다. 여권 사이에 끼운 바간행 티켓을 쥔 손이 부들부들 떨렸다. 그녀는 문자를 보내고 나서 불현듯 자신이 오래전부터 이별을 예감했다는 사실을 알아차렸다. 그동안 팽팽하게 엎치락뒤치락하던 '헤어지자는 마음'과 '그러지 말자는 마음'의 균형은 어느덧 깨진 후였다.

그녀는 명을 쫓아가거나 이대로 끊어버리는 결단을 내려야 했다. 그러나 늘 우두커니 다른 곳을 바라보는 그의 옆에서 애를 태우며 남을 자신이 없었다. 애원과 부탁의 시간으로 돌아가는 건 끔찍했다. 명도 변하고 자신도 변했기 때문에 이것이 서로에게 좋은 일이었다.

무엇보다 이별을 한다면 다시는 돌이킬 수 없는 것이어야 했다. 명에게 용서될 수 없고 스스로에게도 번복될 수 없는 것. 무효화될 수 없는 것이어야 했다. 그래야만 그녀는 명과 깨끗이 끊길 수 있다고 믿었다.

눈물이 양 볼을 타고 흐르며 입에서 흐느낌이 새어 나왔다. 그래, 나는 알아. 지금 끝내지 않으면 아무것도 할 수 없는 날이 온다는 걸. 그녀는 떨리는 손으로 바간행 티켓을 찢었다. 그녀는 자신과 명 사이에 연결된 출렁다리가 불에 활활 타오르며 낭떠러지 아래로 떨어지는 환영에 휩싸였다. 몇 걸음을 걸어서 쓰레기통에 찢어진 티켓을 버리고 그녀는 그 자리에 무릎을 접고 주저앉았다. 그리고 어깨를 들먹이며 헛구역질을 했다.

몇 시간 전까지도 명과 휴가를 즐길 단꿈에 젖었던 그녀는 온몸이 걸레처럼 뒤틀려 짜이는 기분이었다. 덜컹거리는 관계는 지난 석 달간 위태위태하게 이어졌으나 이런 식으로 끝이 날지 짐작조차 못했다. 그러나 한 가지만은 분명했다. 명은 기다려도 달라지지 않는다는 것, 자신은 그저 그에게 영원히 두 번째 사람으로 남을 뿐이라는 것.

명은 옆자리에 앉은 중년의 사내가 사진엽서를 한 장씩 넘기는 것을 보았다. 바간의 탑들이 담긴 엽서 세트였다. 아주 오래된 듯 프린트 상태가 좋지 않았고 손을 많이 탔는지 귀퉁이가 둥글게 닳아 있었다. 명의 시선을 의식했는지 사내는 한국말로 물었다. 오래전부터 알고 지낸 듯 격의 없으나 독특한 억양의 낯선 말투였다.

"바간에 다녀오는 길이오?"

"네, 사흘 동안 머물렀어요."

사내는 쉰 살은 훌쩍 넘었을 거라 짐작됐는데, 키가 크고 몸이 단단하며 옷차림에서 중후한 분위기가 났다. 특히 흑발과 백발이 뒤섞인 헤어스타일과 은테 안경이 잘 어울렸다. 바간발 양곤행 비행기는 좌석 번호가 없어서 원하는 자리에 앉을 수 있었는데, 명은 이 사내의 옆자리에 앉았던 것이다.

"혹시 여기도 가봤소? 여기 이곳 느낌이 어떻소?"

사내는 엽서를 몇 장 넘기더니 손가락으로 한 곳을 가리켰다. 명은 그 수도원을 잘 알고 있었다. 루비 목걸이가 사라지지 않았다면 아침 일찍 들를 곳이었다.

"뭔가 숨기기 좋은 곳이네요."

갑자기 사내의 얼굴이 환해졌다. 진작부터 말이 통할 줄 알

왔다는 표정이었다.

마침 승무원이 음료를 권했다. 창가에 앉은 사내는 레드와 인을 청했다. 통로 쪽에 앉은 명도 와인을 주문했다. 유리잔에 담긴 술이 미세하게 흔들렸다.

"와인이 심장에 좋지."

사내가 눈높이까지 잔을 들며 명을 바라보자 명도 잔을 들어서 눈으로 건배를 했다. 사내는 와인의 색을 보고 향을 맡고는 한 모금을 입 안에 넣고 혀로 굴리며 맛을 음미했다.

"오래전에 한 사람을 위해서 여기에 뭔가를 숨긴 적이 있소. 물론 그 사람에게 말은 전했지. 어떻소, 그 사람이 그걸 찾으러 올 것 같소?"

"여자분인가요?"

명이 웃으며 묻자 사내는 고개를 끄덕였다. 명은 와인 한 모금을 입에 넣고는 혀로 굴리며 조금씩 삼켰다. 꽃향기가 입 안 가득 퍼졌다. 모니터에는 1만 미터 고도에서 시속 990킬로미터로 날아가는 비행기의 그림이 보였다. 지구 표면을 느리게 날아가는 나비 같았다. 명은 고개를 좌우로 저었다.

"그럴 리가 없지 않을까요? 바깥이 무슨 서울 근교의 유원지도 아니잖아요."

사내는 긴 한숨을 내쉬며 중얼거렸다.

"그렇지. 아무래도 이 먼 곳까지 보물찾기 놀이하듯 올 리가 없겠지."

사내와 명은 눈을 맞추며 고개를 끄덕이고는 동시에 술잔을 기울였다. 이번에는 입 안에서 혀를 굴리지 않고 와인을 꿀꺽 삼켰다. 사내는 한 손에 엽서를 쥐고 다른 한 손에는 와인 잔을 쥔 채 정면을 응시했다. 날개 쪽에서 프로펠러 돌아가는 굉음이 길게 이어졌다.

"직접 주시지 왜 그런 곳에 숨기셨어요?"

"직접 주고 싶었는데 그녀가 오지 않았소. 그 바람에 나는 늘 그녀를 기다리게 되고 말았지. 늘 그 순간에 우두커니 멈춰 있소."

"기다림의 형벌이네요."

"형벌은 아니오. 그건 아니지. 나도 기다리며 알게 됐소. 과거의 그녀가 나를 얼마나 기다렸을지. 오지 않을 줄 알면서 얼마나 기다렸을지. 나도 알게 된 것이지. 무슨 말인지 알겠소?"

명은 고개를 끄덕이고는 물었다.

"찾아가서 줄 수는 없나요?"

"늘 그 사람과 함께하는 게 사랑이라고 착각하는 이들이 있지. 상대의 행복을 위해 잠시 잊는 것도 사랑하는 일이오. 의연한 단념이랄까."

"의연한 단념이요?"

"그렇소. 의연한 단념."

사내는 그 말을 뇌며 단념하듯 고개를 약간 떨구고 입술을
다물었다.

"보고 싶지 않았나요? 막 미치도록 보고 싶잖아요?"

사내는 아무 말도 하지 않았다. 무슨 말을 꺼내려는 듯 입술
이 몇 번이나 꿈틀거렸다. 그러다가 도저히 견딜 수 없는 통증
처럼 미간을 일그러뜨렸다. 울음보가 확 터질 듯한, 전혀 의연
치 않은 표정이었다. 숨어 있던 주름들이 일제히 드러나는 순
간이었다.

"보고 싶었지……. 그런데 내가 냉정해지고 마음을 닫을 수
록 저쪽에 길이 열린다고 믿었소. 그래서 견디고 또 견뎠지."

명은 그의 얼굴이 일반적인 중년의 얼굴과는 약간 다르다
는 인상을 받았다. 사람을 사랑할 줄 모르는 외로움에 늙어간
자와 사람을 사랑해서 겪는 서글픔으로 늙어간 자는 얼굴의
주름과 표정이 다를 수밖에 없었다.

"나는 이렇게 알고 있소. 가난한 사람은 돈이 없는 사람이
아니라 가슴속에 비밀이 없는 사람들이라고. 이 탑에 숨겨둘
아무런 비밀이 없는 사람들 말이오."

그저 세월을 따라 늙어간 자와 사랑의 통증으로 늙어간 자
가 같은 주름과 표정을 가질 리가 없었다. 그것은 나이테처럼
분명히 새겨진 것이고, 전에 없이 이런 종류의 나이테를 알아
보는 안목이 생겼다는 사실에 명은 스스로 적잖게 놀랐다.

170

"그녀와 헤어진 후 나는 아내와 자식들에게 최선을 다했소. 그런데 간혹 이런 생각을 하오. 내가 다른 여자를 찾기보다 내 안의 다른 자아를 찾았다면 인생이 행복했을까? 어떻소?"

어려운 문제였다. 명은 답할 수가 없었다. 다만 그가 말하기 전에 모든 내용을 이미 들어서 알고 있다는 착각이 들었다.

곧 양곤 공항에 비행기가 착륙한다는 기장의 안내 방송이 나왔다. 명은 손목을 들어 시계를 보았다. 시계가 죽었는지 바늘은 탑승 시각에 멈춰 있었다.

"그런데 참 이상하게도 말이지……."

사내의 얼굴은 약간 상기되어 있었다.

"그럴 리 없다고 생각하다가도…… 지난 이십 년 동안 마지막엔 늘 같은 결론을 내렸소."

명은 사내의 옆얼굴을 가만히 바라보며 말이 이어지기를 기다렸다.

"찾으러 갔을 거라고."

"찾으러 갔다고요? 그걸 어떻게 알지요?"

사내가 고른 치아를 드러내며 호탕한 웃음을 터뜨렸다. 광대뼈가 올라가자 이마와 눈가의 굵은 주름이 근사하게 잡혔다.

"아니, 젊은 사람이 그걸 모르오? 내가 부르는 소리를 그녀가 못 들었을 리가 없잖소. 우리가 그걸 모를 리가 없잖소!"

명이 그걸 모를 리가 없었다. 몸은 떨어졌으나 마음이 이어져 있으니 충분히 알 만한 것이었다. 다만 다른 이의 입을 통해 확인받고 싶을 따름이었다. 문득 명은 이런 생각이 들었다. 그는 아직 살아보지 않은 나의 인생 같고 내가 겪지 않은 인생을 이미 살아본 사람 같다는.

명도 그의 얼굴을 마주 보며 한껏 따라 웃었다. 그리고 잔을 들며 말했다.

"그분은 반드시 찾으러 갔을 거예요."

"정말 그렇게 생각하오?"

"그리고 그분은 선생님과 다시 만나도 같은 선택을 할 거예요. 말씀하신 의연한 단념도 잘 알고 있을 거예요."

사내의 얼굴이 놀라움과 동시에 급격히 환해졌다.

"그걸…… 자네가 어떻게?"

명은 사내의 두 눈을 마주 보고는 잔을 내밀었다.

"아니, 그걸 제가 모를 리가 있나요? 그걸 우리가 모를 리가 있나요?"

"아 참, 그렇지!"

두 사람은 잔을 부딪치고 유쾌하게 와인을 비웠다. 사내는 잔을 비우고, 그 빈 잔을 그물망에 넣고는 자리에서 천천히 일어났다.

"잠깐 가볼 데가 있소."

명은 그가 화장실에 간다는 걸 금방 눈치챘다. 사내는 싱긋 웃으며 조용히 말했다.

"나이가 들면 좀 시간이 걸리오만……."

명은 이해한다는 듯 고개를 끄덕였다. 사내는 뒤편의 통로로 천천히 걸어갔다.

깜빡 졸았던 명이 눈을 뜬 건 비행기가 곧 양곤 공항으로 착륙하니 안전벨트를 착용하라는 안내 방송을 듣고 나서였다. 옆자리는 여전히 비어 있었다. 명은 주위를 둘러보다가 고개를 뒤로 꺾었다. 승무원이 화장실 접이문을 여닫으며 승객이 있는지를 확인하고는 손을 들어 짐칸의 문들을 체크했다. 앞쪽 화장실 램프도 꺼져 있었다.

시계를 보니 자신의 기억과는 전혀 다르게 바늘이 정상적으로 돌아가는 중이었다. 명은 자신이 어떤 착각을 한 것인지 정신이 혼란스러웠다. 사내가 앉았던 자리의 그물주머니에는 붉은 와인 방울이 맺힌 플라스틱 잔이 보였다. 하강이 시작되어도 사내는 돌아오지 않았다.

*

그녀는 승무원에게 비빔밥이 담긴 쟁반을 돌려주었다. 승무원은 습관적으로 웃으며 "맛있게 드셨습니까?" 하고 물었지만 포장이 찢기지 않은 것을 보고는 조용히 카트 트레이에 그것을 넣었다. 그녀는 플라스틱 잔을 두 손으로 감싸고 따뜻한 커피를 몇 모금 마셨다. 나흘째 식사를 제대로 하지 못했으나 입맛이 없었다.

잔을 내려놓은 그녀는 등받이 그물주머니에 넣어둔 미얀마 여행 책과 노트를 꺼내어 펼쳤다. 그녀는 펜을 쥔 손을 주물렀다. 그 손을 주무르다 피곤해진 다른 손을 주물렀다. 그러다가 잠깐 두 손바닥을 붙이고 가슴 앞에 모았다. 마음속으로 다만 아무것도 빌지 않겠다고 빌었다.

양곤 시내 호텔에서 첫날을 묵은 그녀는 다음 날 쉐다곤 파고다에 들렀다. 점심이 넘어서 침대에서 일어났을 때 그녀의 기분은 무중력상태였다. 헤어지자는 문자를 보내고 명이 바간으로 들어가자 할 일이 아무것도 없었다. 그와 헤어졌다는 사실이 실감나지 않았다.

쉐다곤 파고다에 들러서 탑을 한 바퀴 돌았을 때 소나기가 쏟아졌다. 그녀는 전각의 카페트 바닥에 앉아서 비를 그었다. 신자들이 무릎을 꿇고 염주를 굴리며 기도하는 모습을 바라보았다. 두 손을 가슴 앞에 하나로 모은 그들의 표정은 단정하고 엄숙했다. 금빛의 불상 주변에는 꽃과 과일과 향로가 놓여 있었다.

빗발이 가늘어지자 그녀는 맨발로 거대한 황금 탑 주위를 돌았다. 빗물이 고인 바닥은 따스했다. 맨발로 물 위에 큰 원을 그리며 탑을 서른 바퀴 도는 동안 그녀는 명에 대한 생각을 피할 수가 없었다.

이 년 전 고교 단짝의 약혼남인 명을 처음 만나고 돌아온 밤, 그녀는 잠을 설치고 말았다. 놀랍게도 아침까지 머리와 마음은 그에 관한 생각으로 가득했다. 그리 길지 않은 대화였지만 그는 그녀가 말하려고 하는 것을 정확하게 알아들었다.

"어쩜, 그런 사람이 있지?"

명을 떠올리면 듣는 사람이 없어도 자신도 모르게 이런 말이 튀어나왔다. 무엇보다 그는 진심 어린 눈빛과 차분한 목소리로 그녀 자신조차 잘 풀어내지 못한 이야기의 의중을 쉽게 파악하고 공감했다. 대화를 하며 가슴이 뛰기는 처음이었다. 그런 남자와 사랑에 빠지고 싶었다. 그 열망이 얼마나 강했던지 명이 단지 친구를 먼저 만났을 뿐 자신을 먼저 만났더라면 서로 사랑했을 거라는 생각이 들었다. 이러면 안 된다는 걸 알면서도 그와 연락을 하고 만나면 알 수 없는 행복에 들떴고 이 행복이 끝나지 않기를 바랐다.

그런 명이 언제든 친구에게 돌아갈 수 있다는 사실은 언제든 자신의 옆자리가 지워진다는 뜻이었다. 절대로 소유할 수 없다는 한계는 단념하게 만드는 게 아니라 오히려 계속 갈망하게 만들었다. 그의 이름을 지우면 자신의 인생도 함께 지워진다는 불안에 끝없이 시달렸다. 하지 말아야 할 짓을 하고 있는데 이상하게도 정말로 원하는 것을 하고 있다는 생생함이 들었다.

그러나 간절히 원한다는 것은 큰 고통이었다. 간절히 원하는 만큼 상황은 쉽게 바뀌지 않았다. 상대가 내 뜻대로 바뀌는 것을 바라면서 겪는 통증이 너무 컸다.

컨디션이 좋지 않아서 퇴근을 하자마자 침대에 누워 있던 날이었다. 고등학교 친구에게 날아온 문자를 보고 침대에서 벌떡 일어나고 말았다. 명과 약혼한 친구의 파혼 소식이었다. 그럼 모두들 우리 관계를 알게 된 것일까?

명의 파혼이 자신 때문이라는 게 알려지면 생길 경우의 수를 그녀는 그동안 수도 없이 상상했다. 고교 단짝이었던 그녀에게 사정없이 따귀를 맞거나, 자신의 SNS 계정에 끔찍한 욕설이 줄줄이 올라오거나, 아는 사람들로부터 무차별로 발길질을 당하거나, 심지어 광장에서 발가벗겨지고 무릎이 꿇려져 아무렇게나 머리카락을 잘리는…… 그렇게 되면 무슨 말을 해야 할지도 상상했는데, 정작 고교 친구에게 온 짧은 단체 메시지는 파혼한 친구를 위로해주자는 말뿐이었다.

명에게 계속 전화를 하고 메시지를 남겼으나 연락이 닿지 않았다. 예측할 수 없고 어찌 될지 모를 불길한 상황에 홀로 갇힌 기분이었다. 상대의 음성이 들려오지 않는 전화를 거듭 할수록 절망감에 빠졌다. 명은 지금 곁에서 자신을 다독이고 안아줘야만 한다고 되뇌었다. 그 일주일 동안 그녀는 병가를 내고 바깥출입도 하지 않고 식사도 제대로 하지 못한 채 방에서만 지냈다. 그녀는 연락이 닿는 장면을 자주 상상했다. 그러면 명이 먼저 사과를 할 거라고, 걱정하고 기다리게 해서 미안하다고 말할 거라고…… 그러면 그녀는 못 이기는 척 많이 걱정했다고, 이렇게 아무 일 없어서 다행이라며 그 사과를 받아주리라, 다짐하고 다짐했다.

그러나 일주일이 지나고 어렵게 연락이 닿은 명은 책망의 눈초리로 그녀를 쏘아보았다. 그 시선은 차갑고 푸르고 비릿하고 매웠다.

"무슨 전화를 백 번씩이나 해? 제3금융권의 빚 독촉도 이런 식으론 안 해!"

심장이 둘로 찢어지는 통증이 일었다. 일주일간 연락을 끊을 만큼 그렇게 괴로웠냐고 묻자 명이 대답했다.

"진정해. 오 년의 관계는 사랑뿐만이 아니야. 왜 그걸 모르니?"

그녀의 귀에는 그 말이 '이 멍청아, 오 년의 관계는 사랑 이상이야!'라는 고함으로 들렸다. 아니, 햇수와 상관없이 무엇으로도 대체할 수 없는, 너는 절대 포함될 수 없는, 영원히 너보다 특별한 무엇이라 말하는 것 같았다. 명이 먼저 미안하다고 말했으면 그토록 악을 쓰며 덤벼들지는 않았을 텐데…….

그녀는 명의 마음을 알 수 없었다. 명과 약혼녀의 관계가 그녀 안에서 계속 커져만 갔다. 파혼을 했음에도 심지어 또 다른 여성이 자신을 우선할 수도 있을 것만 같았다. 절대 떠나지 않겠다는 다짐을 명에게 듣고 싶었다. 당신이 떠날까 겁이 나니, 나를 꽉 잡아달라고 말하고 싶었다. 그러나 명이 또 한 번 시간을 달라며 거리를 두자, 그녀는 명이 파혼을 후회한다고 여겼다. 관계의 전환이 필요했다. 그때 떠오른 게 바간이었다.

탑을 예순 바퀴째 돌았을 때, 그녀는 자리에 멈춰 서서 두 손을 모으고 기도했다.

'이제는 바라지 않게 되기를……. 원하는 게 없어지기를…….'

그녀는 다시 거대한 불탑 주위를 원을 그리며 돌았다. 늘 명에게 사랑한다고 애원했지만 그것은 명을 위한 게 아니라 실은 자기를 위한 것이었다. 늘 먼저 기다리고 울고불고 매달린 이유가 거기에 있었다. 그녀는 한 발자국을 디딜 때마다 욕망을 내려놓기를, 그래서 아무것도 빌지 않기를 빌었다. 날이 어두워지고 석양을 받은 탑 주위가 황금빛으로 타올랐다.

그렇게 아흔 바퀴를 채웠을 때, 그녀는 빛을 뿜는 탑을 향해 무릎을 꿇고 엎드렸다. 이마에서 땀이 뚝뚝 떨어졌다. 탑 꼭대기에 매달린 수십 개의 종이 일제히 흔들리는 소리가 들렸다. 탑을 도는 것은 뜻을 세우는 게 아니라 마음을 비우는 일이었다. 염원을 기도하는 게 아니라 염원마저 내려놓는 일이었다.

그것이 저 탑의 안을 꽉 채우지 않고 비워놓는 이유였다.

어두운 양곤 거리를 걸어서 그녀는 호텔방으로 돌아왔다. 호텔방은 혼자 쓰기에 너무 컸다. 그녀는 온몸이 땀에 젖어서 침대에 털썩 주저앉았다. 그리고 가방에서 종을 꺼내어 흔들어보았다. 쉐다곤 파고다를 나올 때 입구에서 구입한 종이었다. 손아귀에 쏙 들어오는 그것은 흔들 때마다 쉐다곤에서 들은 종소리가 연상됐다.

견딜 수 없는 고단함과 배고픔이 동시에 몰려오자 그녀는 아랫입술을 이로 깨물었다. 돌아오는 길에 보았던 레스토랑에서 저녁을 먹는 연인들의 풍경이 내내 떠나지 않았다. 아랫입술에 피가 배어 나올 정도로 아픔이 들고 나서야 그녀는 자신이 울고 있다는 사실을 알았다.

거리의 레스토랑을 지나치며 소리 죽여 흐느끼던 그녀의 눈물샘을 기어이 크게 터뜨린 것은 다름 아닌 방문 옆에 나란히 놓인 슬리퍼 한 쌍이었다. 남녀 투숙객을 위해 준비된 그것은, 한 켤레는 크고 다른 한 켤레는 작았다. 유독 눈길이 떨어지지 않는 큰 슬리퍼는 그의 부재를 더욱 실감케 했다.

한참을 그렇게 울다가 붉어진 눈시울을 닦고는 그녀는 쉐다곤의 탑돌이를 떠올리며 종을 흔들었다. 열정에도 유효기간이 있다면, 그것이 다한 것이라고 스스로를 다독였다. 더는 바라지 않고, 마음을 비우겠다는 기도문을 외웠다. 그러다가 그녀는 도저히 통증을 참을 수 없다는 듯 꽥 소리를 지르고 말았다.

"헤어지고 싶지 않아!"

벽을 향해 있는 힘껏 종을 집어 던졌다. 그리고 침대 위에 쓰러져 흐느껴 울었다. 그녀는 처음으로 관계란 스스로 어찌할 수 없는 것들을 인정하는 일이라는 것을 알았다.

이튿날 그녀는 중앙역에서 순환 열차를 탔다. 차표 가격은 200짯이었다. 천장에 부착된 선풍기가 회전하며 미지근한 바람을 불어냈다. 두 사람이 나란히 앉는 의자에서 그녀는 역방향으로 앉았다. 열차가 출발하자 손때 묻은 동그란 손잡이들이 일제히 옆으로 진동했다. 세 시간가량 도시를 한 바퀴 도는 열차는 넘치는 시간을 때우기에 좋았다.

도시의 북쪽으로 향하는 열차는 선로를 느리게 밀어냈다. 그녀는 열차 바퀴가 밀어내며 달린 만큼 멀어지는 선로를 보았다. 한산했던 실내는 역을 거듭할수록 승객 수가 점차 불어났다. 사람들은 채소 보따리를 짊어지고 타고, 염소를 안고 타고, 닭을 보자기에 넣고 타고, 아기를 업고 타고, 책가방을 들고 탔다. 소쿠리에 옥수수를 담아 파는 상인에게 그녀는 300짯을 주고 찐 옥수수를 샀다. 옥수수를 손에 쥐자 묵직하면서도 말랑하고 따뜻한 기분이 들었다.

가난한 마을과 푸른 들판과 황무지와 깨끗한 빌라들이 차창 밖으로 지나갔다. 중간중간 멈춰 서는 서른여덟 개의 역사(驛숨)는 염주알 같았다. 북쪽 마을 끝까지 갔던 열차는 머리를 돌려 남쪽으로 내려왔다. 상인들은 무리를 지어 커다란 보따리를 들고 우르르 올라탔다가 우르르 내렸다. 거대한 타원형으로 뻗어나간 선로는 그 역사를 염주처럼 꿰며 제자리로 돌아왔다. 세 시간가량 멀리멀리 달리고 또 달렸지만 결국은 제자리였다.

그녀는 중앙역에 내려서 화장실을 들른 뒤 밖으로 나갔다. 정오의 뜨겁고 환한 거리에서 그녀는 외롭고 버려진 기분이 들었다. 막연히 걷다가 손수레에서 파는 200짯짜리 국수를 먹고 우산 고치는 아저씨를 보았다.

노변에 쪼그리고 앉은 아저씨는 부러진 우산살을 바꾸고 천과 함께 기웠다. 쓰레기 같던 우산은 그렇게 스테인리스 살 몇 개를 바꾸고 바느질을 거치자 새것과 다름없었다. 고친 우산을 활짝 펼쳐서 시험 삼아 받쳐보는 아저씨와 눈이 마주치자 그녀는 자기도 모르게 웃음이 나왔다.

카페에서 커피를 마시고도 할 일이 없는 그녀는 왔던 길을 다시 걸어서 중앙역으로 갔다. 그리고 차표를 끊은 뒤 순환 열차를 기다려 올라탔다. 이번 열차는 실내가 마주 보는 벤치 형태였다. 맞은편에 앉은 서양인 여성은 더위를 먹었는지 남자의 어깨에 머리를 기댔다.

역을 지나갈수록 승객들이 이고 들어온 보따리가 통로에 가득했다. 졸음에 겨운 그녀는 덥고 목이 말랐다. 두 시간쯤 달리던 열차가 멈추자 철로변이 장사진을 친 상인들로 북적거렸다. 어느덧 밖에는 비가 내리고 있었다. 파라솔을 펼친 가판대 아래에는 각종 채소와 과일, 생선 바구니들이 즐비했다.

대나무 고깔모자를 쓴 남자들이 몰려들어 소리치며 호객을 했다. 아기를 포대기에 업은 젊은 여자가 그녀가 앉은 차창 아래에서 과일 봉지를 흔들었다. 여자가 든 바구니에는 과일 봉지가 반 정도 남아 있었다. 그녀는 차창 밖으로 손을 뻗어 500짯을 건네고 봉지를 받았다. 여자는 서둘러 옆 칸의 창 아래로 가서 두 봉지를 더 팔았다. 엄마의 몸짓이 급해질수록 잠든 아기의 머리가 맥없이 춤을 췄다.

그녀는 차창 밖으로 머리를 내밀어 여자가 다음 칸에서 더 많은 과일을 팔기를 마음으로 응원했다. 아기 엄마가 오늘을 견디려면 저 바구니가 비워져야 했다. 그래야만 내일을 채울 수 있었다. 망연자실한 상태에서 그녀는 맥락도 없이 저렇게 살아야겠다고 다짐했다. 살기 위해서 택할 수밖에 없는 방식이었다. 저렇게 바구니를 비우듯 하루하루를 견디면 남은 나날이 채워질 듯했다.

봉지를 열자 망고스틴, 자몽, 리치, 바나나가 보였다. 그녀는 납작한 공 모양의 망고스틴을 골라서 꽃받침을 떼고 사과를 가르듯 반으로 갈랐다.

'너희도 서로 꼭 붙어 있구나……'

육쪽마늘처럼 뽀얀 과육이 촘촘히 살을 맞댄 게 보였다. 한 조각을 떼어 입에 넣자 달콤하고 새콤한 과즙이 입 안에 가득 찼다.

비행기가 한반도 상공으로 들어섰을 때, 그녀는 편지의 마침표를 찍고는 펜의 촉을 닫았다. 명에게 두 줄의 문자를 보낸 후부터 그녀는 여러 곳에서 편지를 썼다. 쉐다곤의 황금 탑을 하염없이 돌면서도 그에게 이야기를 하고, 시장을 거닐면서도 속삭이고, 순환 열차의 풍경을 보면서도 마음속으로 말을 건넸다. 지금껏 종이에 옮기는 것은 그녀가 그에게 썼던 수많은 내용의 일부에 불과했다.

막연한 이별을 상상했던 시절, 그녀는 명을 다시 만날 수 없을 때 자신에게 무엇이 남을까가 늘 궁금했다. 그와 눈을 맞추며 그의 이름을 부를 날이 영영 오지 않게 되자 답을 겨우 알 듯했다. 편지의 마지막 문단의 첫 문장을 그녀는 '사랑하는 마음이 남았다'라고 썼다. 미움도 원망도 아닌 사랑하는 마음. 이것이 낯선 도시를 빙글빙글 돌며 겨우 내린 결론이었다. 그러나 이제 이 마음조차 전하는 게 맞는지 의문이었다. 비행기는 처음 떠나온 곳으로 돌아가고 있었다.

그녀는 빼곡히 글자가 적힌 노트 다섯 장을 조심스레 찢어 냈다. 그리고 가로로 두 번을 접어서 여행 책 사이에 끼웠다. 그것을 그물주머니에 넣고는 등받이 테이블을 접었다. 램프를 끄고 눈을 감고 등받이에 기댔다. 탈진할 듯한 기분이었으나 매듭을 지었다는 점에서 왠지 홀가분했다. 그녀는 사흘 전의 자신과 지금의 자신이 완전히 다른 사람이라는 생각이 들었다.

*

비행기가 인천 공항에 착륙하자 연은 통로를 나가는 승객들을 보았다. 경영인, 종교인, 여행자 중 어떤 부류가 먼저 내릴지 궁금했다. 그러나 승객들이 일제히 일어서자 구분이 애매했다. 결론은 출구와 가까운 쪽이나 성격 급한 쪽이 먼저 나간다는 것이었다. 밖에서 누군가 기다릴수록 먼저 움직일지도 몰랐다.

뒷모습을 보이며 사라지는 그들을 눈으로 쫓다가 연은 오른쪽 대각선 자리로 시선을 돌렸다. 젊은 여자는 대열에 섞여서 천천히 빠져 나가는 중이었다. 그런데 등받이 그물에 끼워진 여행 책이 보였다. 연은 자리에서 여자를 향해 소리쳤다.

"저기요, 이걸 놓고 갔어요."

돌아본 승객 중에는 분명히 여자도 포함됐다. 그리고 책을 높이 쳐든 연과 눈이 마주쳤다. 그러나 여자는 자기 것이 아니라는 듯 손사래를 치며 발걸음을 멈추지 않았다.

시야에서 여자가 사라지자 연은 손에 든 책을 펼쳐 보았다. 글자가 빼꼭히 적힌 두툼한 편지가 접힌 채 끼워져 있었다. 연은 잠깐 난감한 표정을 짓다가 다시 좌석의 등받이 그물에 끼워놓았다. 펼쳐서 읽어보고 싶은 충동이 들었으나 고개를 저으며 출구로 걸어 나갔다.

비행기와 게이트 사이의 연결 통로에 발을 들이며 연은 이제야 제대로 이별을 하고 왔다는 느낌이 들었다. 되감아야만 앞으로 나아가는 일들이 있는데, 그녀에게 이번 여행이 그랬다. 연은 투명한 원형 통로를 통과하며 생각했다.

나는 그저 사랑이 지나가는 통로일 뿐이라고. 그것이 내 것이 아니기에 오는 것도 가는 것도 내 마음대로 할 수 없다고. 떠나보내고 싶을 때 마음대로 보낼 수 있는 게 아니라 들어온 사랑이 빠져나갈 때가 되면 자연스럽게 나가는 것이라고. 심지어 어딘가에 이미 쓰인 책의 내용에 따라 자신이 살아왔고 사랑을 잃었으며 곧 죽을 것이라는 예감마저 들었다.

비행장 저편에서 동이 트고 있었다. 연은 바람만 들어찬 듯한 가벼운 배낭을 메고 걸으며 아침이 밝아오는 것을 보았다. 거대한 새들이 열을 지어 잠에 빠진 듯한 비행기들 뒤로 공항의 울타리가 보이고 지평선 너머로 붉고 푸른 기운이 번져나 갔다.

통로를 나설 무렵, 연의 눈에 여자가 들어왔다. 여자는 사람 들이 걸어 나가는 방향을 거스르며 무거운 배낭을 메고 달려 오는 중이었다. 여자가 발을 디딜 때마다 덜렁거리는 배낭에 서 소리가 났다. 중요한 것을 놓고 내린 사람처럼 다급해 보였 다. 여자는 연의 어깨를 가볍게 밀치며 금방 빠져나온 통로로 도로 뛰어 들어갔다.

순간 가슴에 통증이 느껴질 정도로 연의 심장이 격렬히 쿵 쾅거렸다. 돌아가기를 열망하나 이제는 절대 돌아갈 수 없는 밤과 속삭임, 웃음과 고백, 손길과 눈길, 사람의 향기와 온기 와 이야기가 찰나에 뒤섞이며 콧부리가 뻐근했다. 그것들은 아무리 팔을 뻗어도 닿을 수 없는 거리에 있었다. 이 통로를 빠져나가고 싶지 않았다. 빈 가방이 너무 가벼웠다. 모든 것이 끝난 줄 알았으나 다시 찾아온 통증에 연은 망연해하며 저편 으로 달려가는 그녀를 바라봤다.

'탑의 시간을 여행하는 사람들을 위한
안내서'일 뻔했던 글

한은형(소설가)

자전거를 타고 가던 명이 멈추었을 때, 그리고 독경 소리가 나는 쪽을 향해 고개를 돌렸을 때, 마침내 로카난다 사원에서 독경 소리의 주인공인 보라색 가사를 걸친 젊은 승려를 발견했을 때, 그리고는 자세를 흐뜨리지 않고 노래를 부르듯 경전을 읽는 승려를 계속해서 바라볼 때, 그렇게 이 소설이 시작되었을 때 나는 짧게 한숨을 쉬었다. 너무나도 해이수인 것이다. 해이수적이랄까. 해이수가 아니라면 누가 이런 소설을 쓸까? 해이수는 해이수로 살 수밖에 없고, 해이수는 해이수로 쓸 수밖에 없는 것이다. 나는 새삼 작가란 그런 사람이라고 생각했다. 그리고 어쩔 수 없이 이 소설의 작가 해이수와 처음으로 눈이 마주쳤던 순간을 떠올렸다.

쿨하게 『탑의 시간』과 해이수를 분리해서 보려고 해도, 나는 『탑의 시간』보다 먼저 해이수를 알았던 것이다. 그는 얼굴을 보고서는 반말을 하고, 문자로는 존대를 하는데, 언제나 나를 '한 작가'라고 부르고, 나를 '한 작가'라고 부르는 사람은 그밖에 없기 때문에, 그는 나한테 유일무이하면서 미스터리한 존재다. 그리고 이 소설의 배경이 되는 바간에 다녀오겠다며 본 적이 없는 화사한 얼굴을 하며 이야기를 했던 것도 나는 기억하고 있다. 거의 전화를 하지 않는 그가 전화를 해서 이 소설의 발문을 맡아달라고 했을 때 "왜 저죠?"라고 물었지만 그는 유일무이하면서도 미스터리한 존재답게 납득할 만한 답을 주지 않았는데, 지금 이 글을 쓰는 나는 왜 이렇게나 많이 해이수에 대해 알고 있는 건지 아연할 정도로 그에 대해 안다는 걸 알게 되었다.

그는 내 일상에 강렬하다면 강렬하게 등장했다. 그는 땀에 젖지 않은 곳이 거의 없는 매트 위에서 나를 올려다보며 잠깐 눈을 맞추고는 고개를 숙였던 것이다. 그 순간의 파동이 인상적이어서 생생하게 기억하고 있다. 희미하게 웃는 건지 아니면 얼굴을 찌푸린 건지, 아니면 간접조명이 만들어낸 음영 때문에 그렇게 웃는 것처럼도 찌푸린 것처럼도 보이는 건지 알 수 없었다. 소매가 없는 옷을 입고 있던 그는 추워 보였다.

동네의 요가학원에서였다. 당시 내가 다니던 요가학원에서는 회원이나 선생이나 여자들밖에 없었으므로 한국에서 요가는 여자들만의 운동인 건가 싶었었는데 얼마 지나지 않아 세 명의 남자가 다닌다는 것을 알게 되었고, 나는 그들을 보게 되었다. 이렇게 여자밖에 없는, 민망할 수도 불편할 수도 있는 어둡고도 밀폐된 느낌의 공간에 운동을 다니는 남자들은 어떤 타입일지 궁금해졌던 것이다. 셋 다 너무 달랐다. A는 요가학원의 누구와도 말을 한 적이 없는 나한테까지 말을 걸 정도로 사교적이었고, B는 아내와 함께 다니는 마르고 신경질적인 인상의 남자였고, C는 맨 뒤의 왼쪽 모서리에 거의 흡수되다시피 붙어 얼굴을 들지 않은 채로 있었다. 시력이 2.0인 나는 그 방에 있던 전면 거울로 나의 어설픈 동작을 보면서 동시에 그들을 보았다.

역시 C 같은 타입이 나의 흥미를 끌었다. 저 사람은 대체 왜 이 세계에 매트와 자기밖에는 존재하지 않는다는 표정을 지으며 매트가 구명선이라도 되는 듯이 요가를 하는 걸까, 하고 궁금해했었는데 어느 날 잠깐 고개를 들었을 때 나는 그가 소설가 헤이수라는 것을 한눈에 알아보았다. 우표보다 작은 크기로 인쇄된 프로필 사진으로 본 게 다지만 확신할 수 있었고, 나는 요가 수업이 끝나고 그에게 다가가 인사를 하게 되었던 것이다.

같은 요가학원을 다닌다는 것, 그리고 소설을 쓴다는 것 말고는 어떤 공통점도 없는 것 같았지만 종종 우리는 술을 마셨다. 요가를 끝내고, 그러니까 몸을 어설프게나마 쓰고 난 후에 마시는 맥주는 아주 맛있었다. 나와 달리 늘 땀을 흠뻑 흘렸던 그는 더 맛있었을 거라 생각하는데, 그래서인지 그는 나보다 술을 많이 마셨고 빨리 취했다. 요가를 정말 좋아한다는 것도 알게 되었다.

그는 나도 갖고는 있지만 한 번도 펼쳐본 적이 없는 『요가 수트라』를 인생의 책으로 여겼으며, 특정 아사나(요가 자세)의 수련에 대해 이야기했으며, 이렇게 요가를 하다 죽으면 더 바랄 게 없다는 식으로 말해서 나를 할 말이 없게 만들곤 했다. 나는 그처럼 요가를 사랑하지도 않을 뿐더러 그렇게나 요가를 진지하게 여기지도 않으니 말이다. 생활한복을 입은 그와 동네 산책로에서 만났을 때도, 껌을 파는 할머니에게 껌은 받지 않고 돈만 드리고 웃을 때도 그는 나를 할 말 없게 만들곤 했는데, 그때와는 다른 '할 말 없음'이었다. 그래서 우리가 같은 요가학원에 다닌다고 생각했던 건 나의 착각이었음을 깨닫게 되었다. 우리는 요가를 대하는 태도가 달랐으므로 다니는 곳도 다를 수밖에 없었다. 나는 원활한 소화와 두통 완화, 거기에 약간의 활력(과 근육)을 얻을 수 있다면 바랄 것이 없다는 마음으로 '요가학원'을 다녔던 것인데, 그는 절박하고도 치열하게 아쉬탕가 마니아들의 수련지인 '마이소르'를 다녔던 것이다. 그는 운동이 아니라 수양 중이었다.

수양도 아니라는 걸, 내가 틀렸다는 걸, 이 소설을 읽고 알
게 되었다. 그는 내가 요가학원이라고 생각했던 그곳을 마이
소르가 아니라 사원이나 신전이라고 생각했다는 것을 말이
다. 그러니까 『탑의 시간』에 나오는 로카난다 사원이나 소민
지 수도원 같은 곳으로. 그리고 그가 동남아에서 남자로 태어
났다면 그 나라의 다른 남자들처럼 일생의 한 시기를 승려로
보내며 충만한 시간을 가졌겠지만, 그러지 못했으니 어둡고,
향냄새가 나고, 독경 소리가 퍼지고, 가끔은 종소리가 울리기
도 하는 요가학원의 그 어두운 방을 자신의 사원으로 삼았던
게 아닐까라고 말이다.

그는 바둑 소설을 쓸 때는 '기원'을 사원으로 삼고, 또 다른
소설에서는 눈을 '경전'으로 읽는 사람이다. 그러니 '옴 샨티'
나 '나마스떼' 같은 내게는 귀로 스쳐 지나가고 마는 그런 소
리가 주는 울림이 다르게 느껴졌을 것이다. 그는 수양도 아닌
수도를 하는 중이었고, 그렇게 자신만의 의식을 치르는 중이
었다. 소매가 없는 옷은 그의 캐주얼한 가사(袈裟)였던 셈이다.
내가 인사했을 때 그렇게 내가 한 번도 본 적이 없는 표정을
지었던 것은, 잠깐 눈을 맞추고 고개를 숙였던 것은, 일상 속
에서 간신히 틈을 내서 만든 기도의 시간을 내가 흩뜨렸기 때
문이라는 것을 알게 되었다. 그건 기도를 방해받은 자의 표정

이었다고 말이다.

그나마 다행인 것은, 요가학원이 있는 상가에 있던 술집 이름이 누룩나무였다는 것이다. 맥주가 유난히 시원하고 안주도 맛있고, 사장님 내외가 다정하다는 이유 말고도 상호가 누룩나무여서 그는 거기를 좋아했을 거라고, 그는 그곳을 프랜지파니나무나 잠보나무로 여겼을 거라는 생각이 들었기 때문이다.

*

나는 원래 이 글의 제목을 '탑의 시간을 여행하는 사람들을 위한 안내서'라 정하고 쓰기 시작했다. 이 소설을 읽는 사람들이 독자라기보다는 바간의 탑들을 여행하는 여행자가 되어서 읽기를 바랐기 때문이다. 나는 탑들의 도시, 바간을 여행하는 여행자들을 위한 좀 색다른 여행 가이드가 되어야겠다고 생각했던 것이다. 걸을 수도 있고, 자전거를 탈 수도 있고, 이인용 마차나 사인용 마차를 탈 수도 있고, 보트를 탈 수도 있지만 나는 나의 고객들이 탑만 보지 않기를, 탑들 사이의 님트리와 보리수를 봐주기를 바랐다. 또 독경 소리와 종소리와 코코넛 열매가 툭 툭, 하고 떨어지는 소리를 귀에 담았으면 좋겠다고 생각했다.

그런데 자꾸 어딘가가 엉켰고, 비례가 맞지 않았다. 그건 해이수와 나의 만남으로부터 시작하지 않아서라는 걸 알게 됐고, 그래서 쿨하게 작품에 대해서만 이야기하는 것은 내가 할수 없음을 알게 됐고, 그래 뭐 이건 해설이 아니라 발문이니까라는 데 생각이 미쳤고, 그래서 이렇게 행로가 달라져버렸다.

탑의 시간을 안내하는 여행 가이드가 되어야겠다고 생각한 것은 『탑의 시간』에는 2000개라고 했다가 2200개라고도 했다가 2500개라고도 말해지는 바간의 탑들처럼 은유와 상징과 이야기들이 솟아 있기 때문이다. 나는 그래서 이 소설을, 명과 연, 최와 희가 바간을 여행하는 이 이야기를, 은유와 상징을 여행하는 이야기로도 읽었다. 그래서 어쩌면 바간을 여행하는 사람들은 바간의 탑과 그 탑에 쌓인 천 년이라는 시간, 바로 그 쌓이고 쌓인 은유를 여행하는 사람들이라는 생각마저 들었던 것이다. 공간을 여행하는 게 아니라 시간을 여행하는 거라고. 그것도 천 년의 시간을. 그렇게 생각하자 그것들을 안내하는 일에 묘한 의미가 부여되는 것 같았다. 또 나도 거기에 또 다른 은유들을 더해보고 싶어지기도 했다. 파도가 파도를 불러온달까.

나는 지금 탑들의 바다에 떠 있기 때문이다. 일렁이는 그곳은 아주 복잡하면서도 단순한 세계다. '탑'과 '시간'과 '탑의 시간'이 있고, 탑과 시간과 탑의 시간에는 기도를 하러 오는 사람들이 있다. 또 비밀을 숨기러 오는 사람이 있다. 비밀은 숨겨지기도 하고 누설되기도 하는데, 중요한 것은 숨겨지느냐 누설되느냐 하는 게 아니라 이 일들이 계속해서 반복된다는 거다. 그러니까 천 년 동안 그래왔다는 것이다. 바간의 탑 사이를 몇 사람이나 걸었을까 생각하게 되고, 천 년이라는 시간의 아득한 흐름에 먹먹해진다. 이렇게 숨기고 싶은 자들이 온 곳이 탑의 시간이 흐르는 도시 바간이었다는 것을 생각해보면, 또 아찔해진다. 천 년 동안 숨겨온 비밀이라는 것들, 그렇게 쌓이고 쌓여온 것들, 비밀은 물질은 아니라고 하지만 거기에 만약 영이나 혼이 있다면, 2000개가 넘는다는 바간의 탑들에 그것들이 숨겨져 있다면, 거기에 비밀 하나를 더해보는 건 아무렇지도 않은 일일까 아니면 엄청난 일일까도 생각해보게 되는 것이다.

그리고 그렇게 비밀을 숨기는 일은 신의 시간과 인간의 시간이 만나기도 하는 일이다. 바간을 탑들의 바다로 만든 2000개가 넘는 탑들을 세운 것은 왕의 권력이었고, 위세였고, 부였다. 그래서 탑을 세운 왕들의 이야기가 전해지는 것은 어쩌면 당연한 일인데 더 이상 왕이 없는 이 세계에서 인간은 그곳에 비밀을 숨김으로써 왕의 시간과 만나기도 하는 것이다. 또 왕은 저렇게 거대한 탑들을 남기기도 하는데 왕이 아닌 사람들은 무엇을 남길 수 있을지 생각해보면, 그게 바로 기억이고, 비밀이고, 이야기가 아닐까라고 생각하게 되는 것이다. 그러니 소설과 소설가라는 사람이 그것들을 탐구할 수밖에 없는 건가라는 생각에까지 이르게 된다.

『탑의 시간』에서 비밀을 숨기고 있는 것은 이야기이고, 또 편지이다. 이십 년 전 연에게 보내온 편지가 있고, 답장으로 썼으나 연이 부치지 못한 편지가 있고, 그 편지는 가야 할 사람이 아닌 명에게 전해진다. 편지만 그런 게 아니다. 루비 목걸이도 그렇고, 사진도 그렇다. 소민지 사원에 숨겨놓은 연의 것이어야 할 루비 목걸이는 희의 목에 걸리게 되고, 또 희는 명이 자신의 그녀를 위해 산 목걸이를 자신의 목에 건 후 연의 것이어야 했을 목걸이를 소민지 수도원에 숨겨놓는다. 또 최와 희가 그들을 위해 찍은 사진을 보는 것은 연이고, 연은 사진들을 지워버린다. 편지도, 루비 목걸이도, 사진도 자리를 바꾼다. "차창 밖으로 탑들이 지나갔다. 그것은 들판에 솟은 뿔 같기도 하고 체스판의 말처럼 보이기도 했다"(17쪽)라고 작가는 쓰고 있는데, 나는 체스판의 말은 명과 연과 최와 희라고, 그리고 편지와 루비 목걸이와 사진이기도 하다고 생각했다.

체스의 목적은 '킹'을 잡는 것이다. '체크메이트'라고 외치며 왕을 잡으면 경기가 끝난다. 나는 체스를 잘 모르지만 체스의 묘미는 그렇게 왕을 잡는 것이고, 체스에서 가장 강력한 말은 '퀸'이라는 것 정도는 안다. 그리고 처음에는 네 명이 하는 게

임이었던 체스가 이제는 두 명이 하는 게임이 되었다는 것도.

그렇다면 명과 연과 최와 희라는 체스 말을 움직이는 손은 누구의 것인가? 나는 그게 세상과 시간이라고 느꼈다. 종종 나는 나를 연기할 뿐이고, 너는 너를 연기할 뿐이라고, 우리는 그렇게 우리라는 배역을 연기하기 위해 살아가고 있다고 생각할 때가 있어서 그런 것일까. 세상과 시간의 관점에서 보자면, 그리고 세상과 시간의 응집체인 탑의 관점에서 보자면, 시간이 흐른다는 것은 그렇게 인간이라는 체스 말을 움직여보기도 하는 것이라고 생각하면서 나는 비밀로 웅웅거리는 탑들의 바다를 막 빠져나왔다.

작가의 말

  첫 장편 『눈의 경전』 출간 이후 나는 다양한 피드백을 받았
다. 누군가는 앞으로 연애소설을 절대 쓰지 말라고 하고, 누군
가는 앞으로도 연애소설을 계속 써달라고 했다. 이렇게 상반
된 충고와 요청이 나온 데에는 연애소설답지 않은 연애소설
을 쓴 것이 원인일 테지만, 아무래도 사람마다 생각하는 연애
혹은 연애소설의 개념이 달라서일 것이다.

  『탑의 시간』의 윤곽은 인천에서 양곤으로 날아가는 비행기
안에서 선명해졌다. 동체가 이륙하고 두 발이 지상에서 떨어
지자 현실에서 비교적 자유로운 인물의 관계와 사건의 얼개
가 엮어졌다. 나는 좌석 등받이 선반에 수첩을 펼치고 사랑에
빠져 있거나 사랑을 상실한 이들이 겪는 시간을 베어내겠다

고 마음먹었다. 캐릭터의 행태가 일면 감정적이고 즉흥적이며 자기중심적인 까닭은 소재 자체가 지나친 탐닉과 과장된 우울의 시기를 다루는 일에서 비롯됐을 것이다.

작품의 배경 국가인 미얀마 지도를 보면 언뜻 홍어 혹은 가오리를 연상시킨다. 주변 5개국과 맞닿은 채 오랜 세월 분쟁과 교류를 유지한 나라로 그 지리적 특성이 중첩되고 교차하는 인물들의 관계 형성에 어울려 보였다. 나로서는 내심 소설을 쓰지 못하면 최소한 여행이라도 하자는 보상심리가 작용했음을 부인할 수 없다.

특히 바간(Bagan)은 세계 삼대 불교 유적지로 천 년 넘게 수도 역할을 담당한 지역이다. 공간 학자인 이푸 투안(Yi-Fu Tuan)의 지적대로 이와 같은 영속적 장소는 인간의 속성을 풀어내기에 적합하고, 고대 도시의 풍물은 사랑의 내밀함과 항구성을 다루기에 더할 나위 없이 매력적이라 여겨졌다. 내 판단에 바간은 시간과 기억이 적층, 정지된 곳이고 은밀한 사연의 소유자들에겐 일상의 질서 바깥에 있다는 점에서 봉인된 과거를 해제하기에 알맞은 무대였다.

세계화와 국제화 등의 키워드가 우리 피부에 스며든 지 상당한 세월이 흘렀으나 한국문학은 여전히 해외 배경 서사를 바라보는 시선이 곱지 않다. 한국소설의 국경 확장에 대한 찬사가 아예 없지는 않지만 대체로 허세와 과시의 소재주의로

공격받거나 한류 드라마의 아류로 취급하는 경향이 강하다. 우주 행성을 배경으로 소설이 쏟아지는 이 시점에 이국 공간 차용 서사를 괄호로 묶어두는 건 아쉬운 일이다.

작가로 살아온 지 스무 해가 되었다. 한마디로 꿈같은 시간이었다. 꿈에서는 그리 서럽지 않아도 서럽게 울고 그리 대단찮은 일에도 대단한 듯 웃기 마련이다. 두려움도 견딜 만하고 배고픔도 견딜 만하다. 무엇보다 어떤 배역과 역할을 맡아도 억울하지 않고 다시 꿈을 꿀 수 있다는 것도 안다.

확실한 한 가지는 스무 해 동안 멀리 도망치지 않고 이곳에서 지냈다는 점이다. 부족하면 부족한 대로 모자라면 모자란 대로 이해와 격려를 아끼지 않은 분들 덕분이다. 나의 길은 탑에 있지 않다. 나의 길은 사람들 사이로 뻗어 있다. 누가 뭐래도 그것이 나의 꽃길이다.

2020년 11월, 모든 게 사라진 것은 아닌 날에
해이수

탑의 시간
© 해이수, 2020

초판 1쇄 인쇄일 2020년 12월 2일
초판 1쇄 발행일 2020년 12월 17일

지은이   해이수
펴낸이   정은영
편집   김정은 정사라 안태운
마케팅   이재욱 최금순 오세미 김하은 김경록 천옥현
제작   홍동근

펴낸곳   (주)자음과모음
출판등록   2001년 11월 28일 제2001-000259호
주소   04047 서울시 마포구 양화로6길 49
전화   편집부 (02)324-2347, 경영지원부 (02)325-6047
팩스   편집부 (02)324-2348, 경영지원부 (02)2648-1311
이메일   munhak@jamobook.com

ISBN 978-89-544-4555-9 (03810)

이 도서의 국립중앙도서관 출판시도서목록(CIP)은 서지정보유통지원시스템 홈페이지
(http://seoji.nl.go.kr)와 국가자료공동목록시스템(http://www.nl.go.kr/kolisnet)에서
이용하실 수 있습니다.(CIP제어번호: CIP2020050079)